KB099348

Longman
GRAMMAR
HOUSE
초등영문법

Longman
GRAMMAR HOUSE 초등영문법 5

지은이 교재개발연구소
편집 및 기획 English Nine
발행처 Pearson Education South Asia Pte Ltd.
판매처 inkedu(inkbooks)
전화 02-455-9620(주문 및 고객지원)
팩스 02-455-9619
등록 제13-579호

ISBN 978-11-88228-54-6 (63740)

Longman

GRAMMAR HOUSE

초등영문법

GRAMMAR HOUSE 초등영문법 시리즈는
총 6권으로 영어 문법을 처음 시작하는 초등학생들이 초등영문법을
완전 마스터할 수 있게 구성되어 있습니다.
간략하고 쉬운 문법 설명과 반복되는 문제들을 풀다보면
어느새 문법이 친근하게 느껴집니다.

GRAMMAR HOUSE 1

- 명사
- 명사의 복수형
- 인칭대명사 Ⅰ
- be동사
- 형용사 Ⅰ
- be동사 부정문
- be동사 의문문
- 지시대명사
- 일반동사
- 일반동사의 변화
- 일반동사 부정문
- 일반동사 의문문
- can의 쓰임
- be going to의 쓰임
- 지시형용사
- 인칭대명사 Ⅱ
- **초등 2~4학년**

GRAMMAR HOUSE 2

- 셀 수 없는 명사
- 정관사
- There is / There are
- There is / There are – 부정문과 의문문
- 형용사 Ⅱ
- 부사
- 기수와 서수
- 수 읽기
- be동사 과거형
- 일반동사 과거형
- 일반동사 과거형 – 부정문 / 의문문
- 명령문
- 시간 전치사
- 장소 / 위치 전치사
- 의문사와 의문문 Ⅰ
- 의문사와 의문문 Ⅱ
- **초등 2~4학년**

GRAMMAR HOUSE 3

- 셀 수 없는 명사의 수량 표시
- some / any
- many / much / a lot of와 a few / a little
- 인칭대명사 Ⅲ – 소유격 / 소유대명사
- 현재진행형
- 현재진행형 – 부정문 / 의문문
- 과거진행형
- it의 다양한 쓰임
- 방향 전치사
- 빈도부사
- 접속사 Ⅰ
- How + 형용사 / 부사
- 조동사 will
- must와 have to
- 조동사 can
- 감탄문
- **초등 3~5학년**

GRAMMAR HOUSE 4

- 시각 / 분수 읽기
- 전치사 Ⅰ
- 접속사 Ⅱ
- 부가의문문
- 조동사 may
- must / can't / will be able to
- 비교급
- 최상급
- What / Which
- Why / Where / When
- Who / Whose / How
- Who / What 주어 역할
- 동사의 쓰임
- 감각동사
- 수여동사
- 동명사 / 진행형
- **초등 3~5학년**

GRAMMAR HOUSE 5

- 재귀대명사
- 부정대명사 Ⅰ
- 부정대명사 Ⅱ
- 부정대명사 Ⅲ
- 동명사
- to부정사
- 동사 + 동명사 / 동사 + to부정사
- 제안 / 권유 표현
- 현재분사
- 과거분사
- 수동태 Ⅰ
- 수동태의 부정문과 의문문
- 조동사 – would like to / had better
- 의문사 + 조동사로 묻고 대답하기
- 전치사 Ⅱ
- 접속사 Ⅲ
- **초등 4~6학년**

GRAMMAR HOUSE 6

- 문장의 5형식 Ⅰ – 1형식 / 2형식 문장
- 문장의 5형식 Ⅱ – 3형식 / 4형식 문장
- 문장의 5형식 Ⅲ – 5형식 문장
- by 이외의 수동태
- to부정사의 용법 Ⅰ – 명사 / 형용사 역할
- to부정사의 용법 Ⅱ – 부사 역할
- to부정사와 동명사
- 동명사와 현재분사
- 현재완료 Ⅰ – 완료 / 결과
- 현재완료 Ⅱ – 경험 / 계속
- 현재완료 Ⅲ – 부정문 / 의문문
- 현재완료시제와 과거시제
- 관계대명사
- 주격 관계대명사
- 목적격 관계대명사
- 관계대명사 what과 that
- **초등 5~중 1학년**

Contents

Chapter 01 재귀대명사

1 재귀대명사의 형태

어떤 동작을 하는 사람 자신을 나타내는 대명사를 '재귀대명사'라고 합니다. 재귀대명사는 인칭대명사의 소유격이나 목적격에 -self(단수)나 -selves(복수)를 붙인 형태로 '~ 자신'이라는 의미를 가집니다.

인칭	1인칭	2인칭	3인칭
단수	myself 나 자신	yourself 너 자신	himself 그 자신　herself 그녀 자신 itself 그것 자체
복수	ourselves 우리 자신	yourselves 너희들 자신	themselves 그들 자신

Tips 주어가 단수일 때는 -self를, 복수일 때는 -selves를 붙입니다.

2 재귀대명사의 쓰임 – 목적어 역할

재귀대명사는 동사 또는 전치사 뒤에 놓여 목적어 역할을 하며, '~ 자신'으로 해석합니다.
이때 재귀대명사는 생략할 수 없습니다.

전치사의 목적어	He talked about **himself**. 그는 그 자신에 대해서 이야기했다. They took care of **themselves**. 그들은 그들 자신들을 돌봤다.
동사의 목적어	My sister burned **herself** with an iron. 나의 여동생은 다리미에 화상을 입었다. Do you love **yourself**? 너는 너 자신을 사랑하니?

Tips 재귀대명사와 자주 쓰이는 동사
enjoy oneself 즐거운 시간을 보내다　hurt oneself 다치다　talk to oneself 혼잣말하다　introduce oneself 소개하다
teach oneself 독학하다　burn oneself 화상을 입다　kill oneself 자살하다　help yourself to ~을 마음껏 먹다

3 재귀대명사의 쓰임 – 강조용법

재귀대명사는 주어나 목적어를 강조하기도 하는데, 이때는 강조하고자 하는 (대)명사 뒤 또는 문장의 맨 끝에 놓이고, '직접', '자신(이)' 등으로 해석합니다. 강조용법의 재귀대명사는 생략할 수 있습니다.

주어 강조	Sam **himself** did it. 샘 자신이 그것을 했다. We painted the house **ourselves**. 우리가 직접 그 집을 칠했다.
목적어 강조	I love Jack **himself**, not his money. 나는 잭의 돈이 아닌 그 자신을 좋아한다.

by + 재귀대명사

재귀대명사는 by와 함께 다양한 의미를 표현할 수 있습니다.

by oneself 홀로, 혼자서	The woman lives **by herself.** 그 여성은 홀로 산다. My sister fixed the door **by herself.** 나의 여동생이 혼자서 문을 고쳤다.

Tips 관용표현에 사용된 oneself는 모든 재귀대명사를 지칭하므로 반드시 주어에 맞게 형태를 바꾸어 사용해야 합니다.
He runs the business by oneself.
→ He runs the business **by himself**. 그는 그 사업체를 혼자서 운영한다.

Guide
어떤 동작을 하는 사람 자신을 나타내는 대명사를 '재귀대명사'라고 합니다.

1 다음 괄호 안에서 알맞은 것을 고르세요.

01 Let me introduce (me / myself) to you.
제 소개를 하겠습니다.

02 He is enjoying (oneself / himself) at the party.
그는 파티에서 즐거운 시간을 보내고 있다.

03 She is looking at (herself / her) in the mirror.
그녀는 거울 속의 자신을 보고 있다.

04 They made it (themselves / themself).
그들이 직접 그것을 만들었다.

05 We painted the wall (themselves / ourselves).
우리가 직접 그 담을 칠했다.

06 The woman lived (by herself / for herself).
그 여성은 혼자 살았다.

07 I met Andrew (him / himself) in person.
나는 앤드류 그를 직접 만났다.

08 The boy burned (herself / himself) in the accident.
그 소년은 사고로 화상을 입었다.

WORDS
introduce 소개하다 **myself** 나 자신 **enjoy** 즐기다 **party** 파티 **mirror** 거울 **paint** 칠하다 **wall** 담, 벽 **woman** 여자 **in person** 직접 **burn oneself** 화상을 입다 **accident** 사고

목적어 역할의 재귀대명사는 동사 또는 전치사 뒤에 놓이며 생략할 수 없습니다.

1 다음 우리말과 일치하도록 빈칸에 알맞은 말을 쓰세요.

01 He can take care of ___himself___.
그는 자신을 돌볼 수 있다.

02 We built the house ______________.
우리는 직접 그 집을 지었다.

03 I enjoyed ______________ at the party.
나는 파티에서 즐거운 시간을 보냈다.

04 He fixed the door ______________.
그가 직접 문을 고쳤다.

05 She drew the picture ______________.
그녀는 그 그림을 직접 그렸다.

06 They have to do it ______________.
그들은 직접 그것을 해야 한다.

07 He loves ______________.
그는 자신을 사랑한다.

08 Did you cook for ______________?
너는 직접 요리하니?

09 He hurt ______________ last week.
그는 지난주 다쳤다.

10 I want to talk to Bill ______________.
나는 빌 그 자신에게 얘기하고 싶다.

11 He cut ______________ while he was shaving.
그는 면도하다가 베었다.

12 Please help ______________ to the cookies.
과자를 마음껏 드세요.

take care of ~을 돌보다 **built** 짓다(build)의 과거형 **fix** 고치다 **drew** 그리다(draw)의 과거형 **picture** 그림 **hurt** 다치다 **talk** 말하다 **cut** 베다 **shave** 면도하다 **help yourself** 마음껏 드세요

Practice 3

Guide

강조용법의 재귀대명사는 생략할 수 있습니다.

1 다음 밑줄 친 재귀대명사를 생략할 수 있으면 ○, 생략할 수 없으면 ×표 하세요.

01 We will clean the room ourselves. → ○

02 I myself saved the people from the fire. → ______

03 My mother cut herself on some broken glass. → ______

04 He looked at himself in the mirror. → ______

05 My sister baked the cookies herself. → ______

06 Jane wrote a book about herself. → ______

2 다음 우리말과 일치하도록 재귀대명사를 이용하여 빈칸에 알맞은 표현을 쓰세요.

01 Did they enjoy themselves at the camp?
그들은 캠프에서 즐거운 시간을 보냈니?

02 I want to go there ______ ______.
나는 거기에 혼자서 가고 싶다.

03 She ______ made this kite yesterday.
그녀가 어제 직접 이 연을 만들었다.

04 He solved the problem by ______.
그는 혼자서 그 문제를 해결했다.

05 Please ______ ______ to some salad.
샐러드 마음껏 드세요.

WORDS

clean 청소하다 save 구하다 people 사람들 fire 화재 broken 깨진 glass 유리 mirror 거울 bake 굽다 camp 캠프 kite 연 solve 해결하다 problem 문제 salad 샐러드

Chapter 02 부정대명사 I

1 부정대명사

부정(不定)이란 '정해져 있지 않다'라는 의미입니다. 부정대명사는 어떤 특정한 사람이나 사물을 가리키는 것이 아니고 막연한 대상이나 불특정한 수량을 나타내는 명사입니다. 부정대명사에는 one, some, any, other, another, all, both, each 등이 있습니다.

2 부정대명사 one

부정대명사 one은 앞에 나온 명사의 반복을 피하기 위해 사용하는데, 불특정한 대상을 표현합니다. 단수명사는 one으로 대신하고, 복수명사는 ones로 대신합니다.

one (앞에서 언급한 것과 같은 종류의 불특정한 것)	My computer is very old. I need a new **one**. (one = a computer) 내 컴퓨터는 매우 오래되었다. 나는 새 컴퓨터가 필요하다. ※ 여기서 one은 a computer를 의미합니다. 그런데 여기서 컴퓨터는 어느 특정의 컴퓨터가 아니고 이 세상의 판매되는 컴퓨터 중의 하나를 의미합니다. These jeans are too tight. Do you have bigger **ones**? (ones = jeans) 이 청바지는 너무 껴요. 더 큰 사이즈 있나요?

Tips it은 앞에서 언급한 특정한 명사를 대신할 때 사용합니다.
My computer is very old. I don't use **it**. (it = my computer)
나의 컴퓨터는 무척 오래됐다. 나는 그것을 사용하지 않는다.

3 부정대명사 some과 any

some과 any는 전체 중 일부의 막연한 수나 양을 나타내는 부정대명사입니다.
some과 any는 또한 명사를 수식하는 형용사로도 사용합니다.

some (일부 사람들, 어떤 사물들, 약간, 다소)	**Some** of the books are interesting. 몇몇 책들은 흥미롭다. I baked cookies. Would you like **some**? 내가 쿠키를 구웠어. 좀 먹을래? ※some은 some cookies를 의미함. I have **some** money. 나는 돈이 좀 있다.
any (의문문 – 무엇이든, 얼마간, 다소, 누구든) (부정문 – 아무것도, 어느 것도, 누구도)	I want some cheese. Do you have **any**? 나는 치즈가 좀 필요해. 너가 좀 있니? ※any는 any cheese를 의미함. I don't want **any** of these. 나는 이것들 중 어느 것도 원하지 않는다. There is not **any** water in the bottle. 병에 물이 조금도 없다.

Tips some은 주로 긍정문, 권유형 의문문에 사용하고 any는 주로 부정문, 의문문에 사용합니다.

부정대명사는 막연한 대상이나 불특정한 수량을 나타내는 명사입니다.

1 다음 괄호 안에서 알맞은 것을 고르세요.

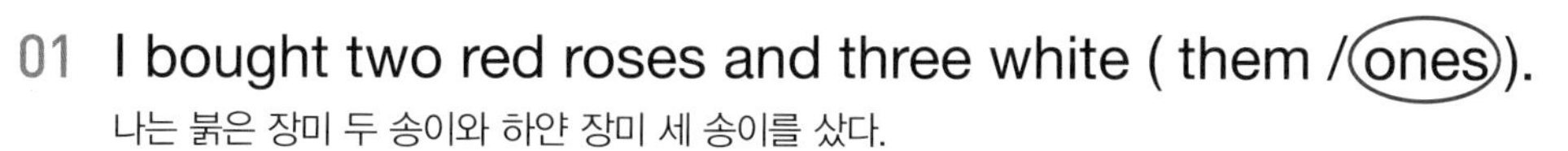

01 I bought two red roses and three white (them / ones).
나는 붉은 장미 두 송이와 하얀 장미 세 송이를 샀다.

02 You'll taste (some / any) of my delicious foods.
너는 나의 맛있는 음식을 좀 맛볼 것이다.

03 Alice lost her bicycle and bought new (one / it).
앨리스는 자전거를 잃어버려서 새 자전거를 샀다.

04 I have a computer. I use (one / it) every day.
나는 컴퓨터가 있다. 나는 매일 그것을 사용한다.

05 (Some / Any) of the students were late for school.
학생들 중 일부가 지각을 했다.

06 They have some food, but we don't have (some / any) left.
그들에게는 음식이 좀 있지만, 우리에게는 조금도 남아 있지 않다.

07 These oranges are fresh. I will buy (some / any).
이 오렌지들이 신선하다. 나는 몇 개 살 것이다.

08 This watch is too expensive. Do you have a cheaper (one / it)?
이 시계는 너무 비싸다. 보다 저렴한 것이 있나요?

09 I don't need (some / any) of these.
나는 이것들 중 어느 것도 필요하지 않다.

10 There are some cookies in the box. Linda made (ones / them) for you.
상자에 쿠키가 좀 있다. 린다가 너를 위해 그것들을 만들었다.

11 My shoes are too old. I want new (ones / them).
나의 신발이 너무 낡았다. 나는 새 신발이 필요하다.

12 Do you have (some / any) plans for this weekend?
너는 이번 주말에 어떤 계획이 있니?

WORDS

bought buy(사다)의 과거형 **white** 하얀 **taste** 맛보다 **delicious** 맛있는 **lose** 잃어버리다 **every day** 매일 **fresh** 신선한 **expensive** 비싼 **cheap** 싼 **need** 필요하다 **weekend** 주말

부정대명사에는 one, some, any 등이 있습니다.

1 다음 우리말과 일치하도록 보기에서 골라 빈칸에 알맞은 말을 쓰세요. (대소문자 무시)

some any one[s] them

01 I don't like ___any___ of your friends.
나는 너의 친구 아무도 좋아하지 않는다.

02 Is there __________ food in the refrigerator?
냉장고에 음식이 좀 있니?

03 I'd like to buy __________ cheese.
나는 치즈를 좀 사고 싶다.

04 This watch is better than that __________.
이 시계가 저 시계보다 더 좋다.

05 I don't have a pencil. Can you lend me __________?
나는 연필이 없다. 빌려줄 수 있니?

06 Sam has two puppies. He walks __________ every day.
샘은 강아지 두 마리가 있다. 그는 그들을 매일 산책시킨다.

07 __________ of his friends can speak Chinese.
그의 친구들 중 일부는 중국어를 할 수 있다.

08 I want some bread. Do you have __________?
나는 빵을 좀 원한다. 빵이 좀 있니?

09 Cathy has five umbrellas, but I do not have __________.
캐시는 우산이 다섯 개 있지만 나는 하나도 없다.

10 She has three white cats and two black __________.
그녀는 흰 고양이 세 마리와 검은 고양이 두 마리가 있다.

WORDS
friend 친구 **refrigerator** 냉장고 **cheese** 치즈 **better** 더 좋은 **lend** 빌려주다 **puppy** 강아지 **speak** 말하다 **Chinese** 중국어 **bread** 빵 **umbrella** 우산

단수명사는 one으로 대신하고, 복수명사는 ones로 대신합니다.

1 다음 보기에서 알맞은 것을 골라 대화의 빈칸에 쓰세요. (대소문자 무시)

some　　any　　one[s]　　it　　them

01 A: Which is your bag?
B: The yellow ____one____.

02 A: How was the movie?
B: ________ was very boring.

03 A: Is there a bakery in the shopping mall?
B: Yes, there is ________ on the second floor.

04 A: Do you like his songs?
B: No, I don't like ________ of his songs.

05 A: This computer is expensive. Do you have a cheaper ________?
B: Yes. We have cheaper ones over there.

06 A: Is there any cheese on the plate?
B: No, there isn't ________.

07 A: Are they from Korea?
B: No. ________ of them came from Japan.

08 A: I baked some cookies. Would you like ________?
B: Oh, thank you.

09 A: Does she have ________ brothers?
B: Yes, she has two.

10 A: Did you buy the shoes at the shopping mall?
B: No, I bought ________ on the Internet.

WORDS
bag 가방 **yellow** 노란 **movie** 영화 **boring** 지루한 **bakery** 빵집 **floor** 바닥 **song** 노래 **plate** 접시 **Korea** 한국 **Japan** 일본 **brother** 형제 **Internet** 인터넷

Chapter 03 부정대명사 II

부정대명사 all

all은 '모두', '모든 것' 등의 의미로 대명사로 쓰이지만, 명사와 함께 쓰여 형용사 역할을 할 수도 있습니다. all은 세 명 이상의 사람이나 세 개 이상의 사물을 표현할 때 사용합니다.

all (+ of)	모두, 모든 것, 모든 사람들	**All** of my friends walk to school. 나의 모든 친구가 학교에 걸어간다. I have five cats and **all** are black. 나는 고양이 다섯 마리가 있으며, 모두 검은색이다.
all + (the) 명사	모든, 전부의, 전체의	**All** the students are in the gym. 모든 학생들이 체육관에 있다. **All** the boys are watching TV. 모든 소년들이 TV를 보고 있다.

부정대명사 both

both는 '둘 다', '양쪽'의 의미로 대명사로 쓰이지만, 명사와 함께 쓰여 형용사 역할을 할 수도 있습니다. both는 두 명의 사람이나 두 개의 사물을 표현할 때 사용합니다.

both (+ of)	양자, 양쪽, 둘 다	**Both** of the boys are American. 두 소년 모두 미국인이다. Jane and Ted are my friends. **Both** of them like reading. 제인과 테드는 나의 친구다. 둘 다 독서를 좋아한다.
both+(the) 명사	양쪽의, 쌍방의, 두 ~	**Both** my sisters like pizza. 두 언니 모두 피자를 좋아한다. **Both** the books are mine. 두 책 모두 내 것이다.

부정대명사 each

each는 '각각의 것', '각각의 사람'이란 의미로 대명사로 쓰이지만, 명사와 함께 쓰여 형용사 역할을 할 수도 있습니다.

each (+ of)	(사람 · 물건 · 그룹) 각자, 각각, 제각각	**Each** of the students wears a white shirt with blue pants. 학생 각자는 푸른색 바지에 흰색 셔츠를 입는다.
each + 명사	각자의, 각각의	**Each** boy has his own computer. 각각의 소년은 자신의 컴퓨터를 갖고 있다.

each other

'서로'라는 의미로 동사의 목적어 역할을 하거나 전치사의 목적어 역할을 합니다.

each other 서로	동사의 목적어	They help **each other**. 그들은 서로 돕는다.
	전치사의 목적어	They don't talk to **each other**. 그들은 서로 말을 하지 않는다.

all은 세 명 이상의 사람이나 세 개 이상의 사물을 표현할 때 사용합니다.

1 다음 우리말과 일치하도록 괄호 안에서 알맞은 것을 고르세요.

01 (All / Each) of my friends like skiing.
내 친구 모두 스키 타는 것을 좋아한다.

02 (All / Each) student has his own computer.
각각의 학생은 자신의 컴퓨터가 있다.

03 (All / Both) of the movies are interesting.
두 영화 모두 재미있다.

04 (Each / Both) of us has a bicycle.
우리는 각각 자전거가 있다.

05 I love (all / both) of them.
나는 그들 모두를 사랑한다.

06 (Each / Both) my friends are tall and handsome.
내 친구 둘 다 키가 크고 잘생겼다.

07 We don't know (each other / both other).
우리는 서로를 모른다.

08 (Each / All) the children in the room like pizza.
방 안에 있는 모든 아이들이 피자를 좋아한다.

09 (Both / All) the people enjoyed themselves at the party.
모든 사람이 파티에서 즐거운 시간을 보냈다.

10 You have to help (both / each other).
너희는 서로를 도와야 한다.

11 (Each / All) room has three lamps.
각각의 방에 전등 세 개가 있다.

12 I don't need (both / each) books.
나는 책 두 권이 다 필요한 것은 아니다.

WORDS

skiing 스키 타기 **student** 학생 **movie** 영화 **interesting** 재미있는 **handsome** 잘생긴 **each other** 서로 **children** 아이들 **enjoy** 즐기다 **party** 파티 **lamp** 등, 램프

Guide

both는 두 명의 사람이나 두 개의 사물을 표현할 때 사용합니다.

1 다음 우리말과 일치하도록 보기에서 알맞은 것을 골라 빈칸에 쓰세요. (대소문자 무시)

all **both** **each** **each other**

01 ______Both______ are from Korea.
둘 다 한국에서 왔다.

02 ____________ of the books in the room are mine.
그 방의 모든 책들이 내 것이다.

03 ____________ of the children received a present.
어린이들이 각자 선물을 받았다.

04 He uses ____________ of his hands when he draws.
그는 그릴 때 양쪽 손을 모두 사용한다.

05 I have three dogs and ____________ of them are white.
나는 개 세 마리가 있으며, 모두 하얀색이다.

06 Romeo and Juliet loved ____________.
로미오와 줄리엣은 서로 사랑했다.

07 ____________ player on the team has his own glove.
그 팀의 각 선수는 자신의 장갑이 있다.

08 ____________ of my friends learn English.
내 친구 둘 모두 영어를 배운다.

09 She gave three pencils to ____________ student.
그녀는 각각의 학생에게 연필 세 자루를 줬다.

10 ____________ of the people in the café are drinking coffee.
카페의 사람 모두가 커피를 마시고 있다.

WORDS

be from 출신이다 **mine** 내 것 **receive** 받다 **present** 선물 **use** 사용하다 **draw** 그리다 **player** 선수 **team** 팀 **own** 자신의 **glove** 장갑 **learn** 배우다 **people** 사람들 **coffee** 커피

each other는 '서로'라는 의미로 동사나 전치사의 목적어 역할을 합니다.

1 다음 영어를 우리말로 쓰세요.

01 All the students in the classroom like science.

→ 그 교실의 모든 학생들이 과학을 좋아한다.

02 Both children are tired and sleepy.

→ ______

03 All of her friends went to the zoo yesterday.

→ ______

04 The two boys hate each other.

→ ______

05 Both he and his wife like Korean food.

→ ______

06 Both of her friends like listening to music.

→ ______

07 Each of them has their own car.

→ ______

08 All the water in each bottle is clean.

→ ______

09 Both of my parents like fishing.

→ ______

10 All my friends went to the party.

→ ______

11 Each girl in the room has her own smartphone.

→ ______

12 I like all the food on the menu.

→ ______

WORDS

classroom 교실 **science** 과학 **both** 둘 다 **tired** 피곤한 **sleepy** 졸린 **yesterday** 어제 **hate** 미워하다 **wife** 아내 **music** 음악 **each** 각자 **own** 자신의 **bottle** 병 **parents** 부모 **menu** 메뉴

부정대명사 Ⅲ

1 부정대명사 another

another은 '하나 더', '또 다른 하나' 등의 의미로 같은 종류의 또 다른 하나를 언급할 때 사용합니다. another는 [another+단수명사] 형태로 형용사 역할을 할 수도 있습니다.

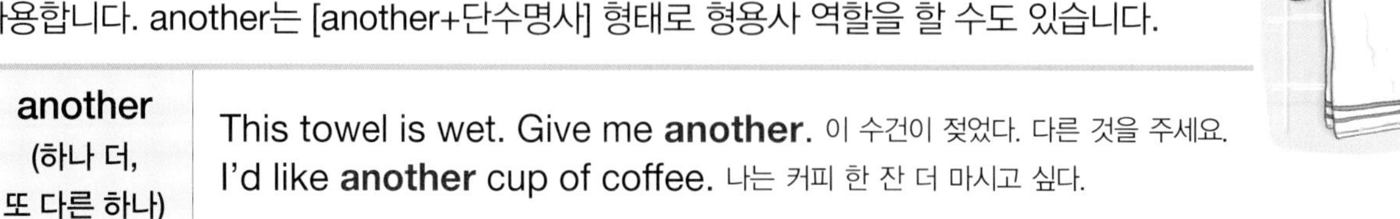

another (하나 더, 또 다른 하나)	This towel is wet. Give me **another**. 이 수건이 젖었다. 다른 것을 주세요. I'd like **another** cup of coffee. 나는 커피 한 잔 더 마시고 싶다.

Tips one another는 '서로'라는 의미로 each other와 의미가 비슷합니다. each other는 둘 사이에, one another는 세 명 이상의 사이에 사용한다고 알려져 있으나, 실제로는 구분 없이 사용할 수 있습니다.
They helped **one another**. 그들은 서로 도왔다.

2 부정대명사 one과 other를 이용한 표현

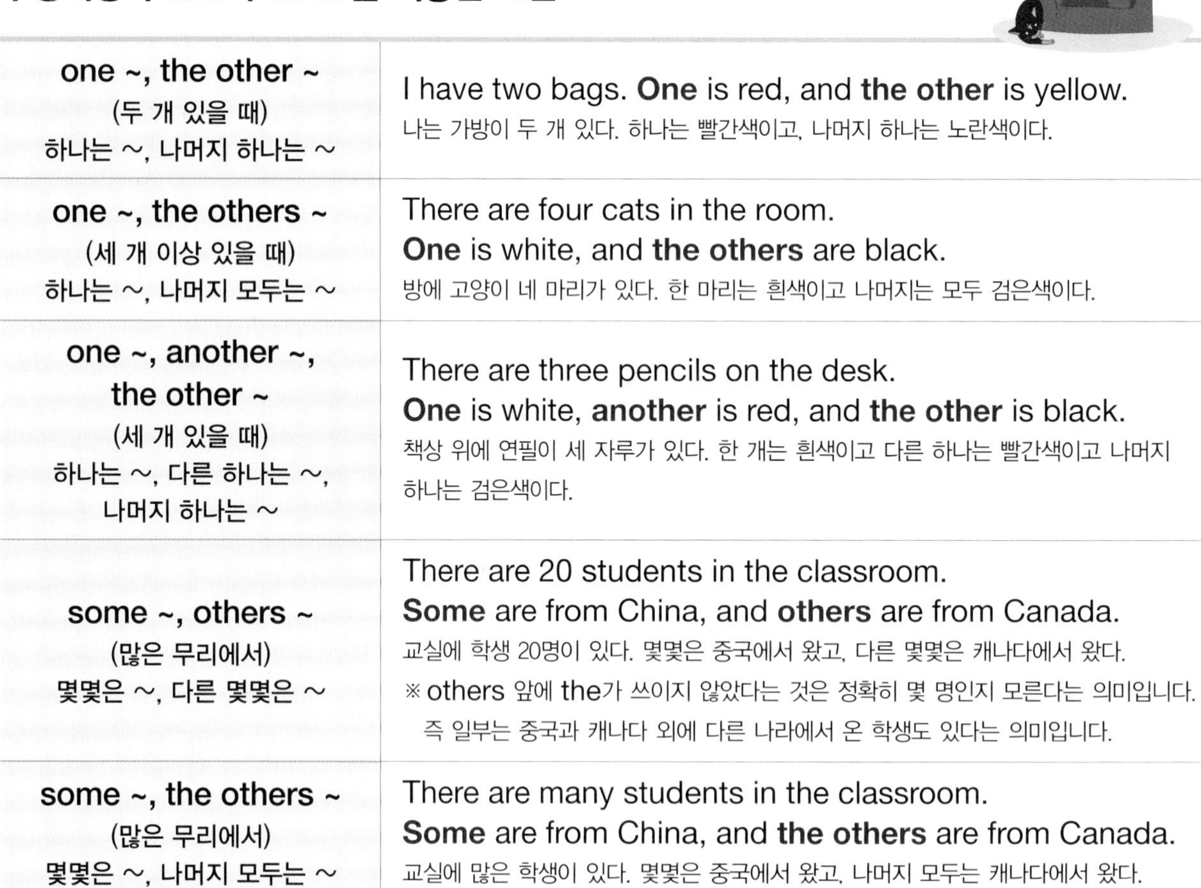

one ~, the other ~ (두 개 있을 때) 하나는 ~, 나머지 하나는 ~	I have two bags. **One** is red, and **the other** is yellow. 나는 가방이 두 개 있다. 하나는 빨간색이고, 나머지 하나는 노란색이다.
one ~, the others ~ (세 개 이상 있을 때) 하나는 ~, 나머지 모두는 ~	There are four cats in the room. **One** is white, and **the others** are black. 방에 고양이 네 마리가 있다. 한 마리는 흰색이고 나머지는 모두 검은색이다.
one ~, another ~, the other ~ (세 개 있을 때) 하나는 ~, 다른 하나는 ~, 나머지 하나는 ~	There are three pencils on the desk. **One** is white, **another** is red, and **the other** is black. 책상 위에 연필이 세 자루가 있다. 한 개는 흰색이고 다른 하나는 빨간색이고 나머지 하나는 검은색이다.
some ~, others ~ (많은 무리에서) 몇몇은 ~, 다른 몇몇은 ~	There are 20 students in the classroom. **Some** are from China, and **others** are from Canada. 교실에 학생 20명이 있다. 몇몇은 중국에서 왔고, 다른 몇몇은 캐나다에서 왔다. ※others 앞에 the가 쓰이지 않았다는 것은 정확히 몇 명인지 모른다는 의미입니다. 즉 일부는 중국과 캐나다 외에 다른 나라에서 온 학생도 있다는 의미입니다.
some ~, the others ~ (많은 무리에서) 몇몇은 ~, 나머지 모두는 ~	There are many students in the classroom. **Some** are from China, and **the others** are from Canada. 교실에 많은 학생이 있다. 몇몇은 중국에서 왔고, 나머지 모두는 캐나다에서 왔다.

Tips others는 단독으로 쓰여 '다른 사람들(= other people)'의 의미로 쓰입니다.
Be kind to **others**. 다른 사람들에게 친절해라.

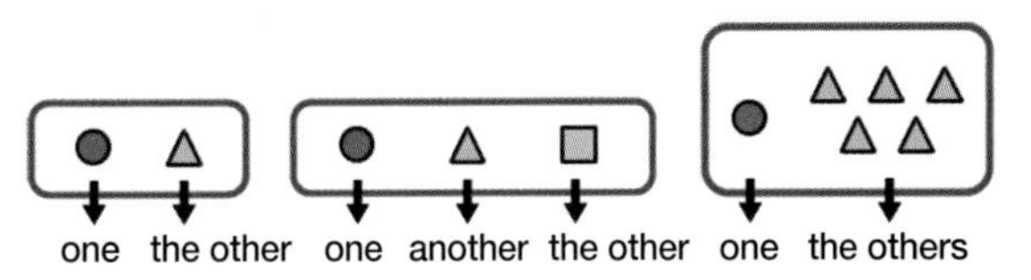

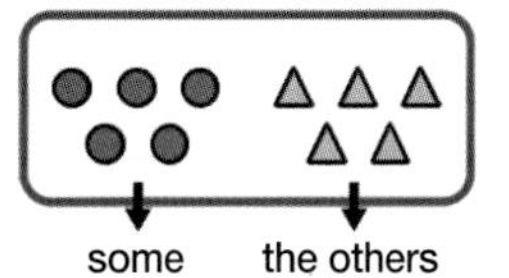

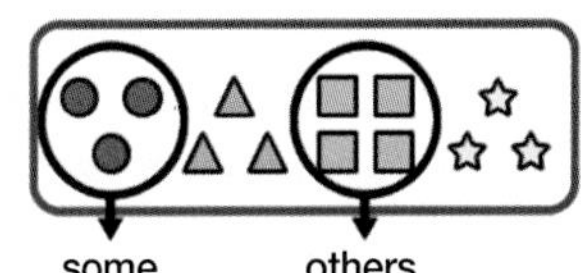

Guide another는 [another+단수명사] 형태로 형용사 역할을 할 수 있습니다.

1 다음 우리말과 일치하도록 괄호 안에서 알맞은 것을 고르세요.

01 Some like baseball, and (other / (others)) like basketball.
일부는 야구를 좋아하고, 일부는 농구를 좋아한다.

02 I don't like this. Do you have (the other / another) one?
나는 이것을 좋아하지 않는다. 다른 것이 있나요?

03 She has two pets. One is a dog, and (the other / the others) is a cat.
그녀는 애완동물이 두 마리 있다. 하나는 개이고, 나머지 하나는 고양이다.

04 There are a lot of fruit in the box. Some are oranges, and (the other / the others) are apples.
상자에 많은 과일이 있다. 일부는 오렌지들이고 나머지는 모두 사과들이다.

05 The children are talking to (one another / another).
아이들이 서로 이야기하고 있다.

06 She gave me four pencils. One is for my sister, and (the other / the others) are for me.
그녀는 내게 연필 네 자루를 줬다. 하나는 여동생 것이고, 나머지는 모두 내 것이다.

07 I have five apples. One is red, and (others / the others) are green.
나는 사과가 다섯 개 있다. 하나는 빨간색이고, 나머지 모두는 초록색이다.

08 There are three students in the room. One is from Japan, (another / one another) is from Korea, and the other is from England.
방에 세 명의 학생들이 있다. 한 명은 일본에 왔고, 다른 한 명은 한국에서 왔고, 나머지 한 명은 영국에서 왔다.

WORDS
baseball 야구 **basketball** 농구 **pet** 애완동물 **a lot of** 많은 **fruit** 과일 **orange** 오렌지 **children** 아이들 **give** 주다 **green** 초록색 **room** 방 **Japan** 일본 **England** 영국

부정대명사 one과 other를 이용한 표현들을 익혀야 합니다.

1 다음 우리말과 일치하도록 보기에서 알맞은 것을 골라 빈칸에 쓰세요.

one　the other　the others　some　others　one another

01 There are two girls in the library. One is reading a book, and ______ the other ______ is writing a letter.
도서관에 두 명의 소녀가 있다. 한 명은 책을 읽고, 나머지 한 명은 편지를 쓰고 있다.

02 They began to throw tomatoes at ______________.
그들은 서로 토마토를 던지기 시작했다.

03 This hat is too small. Please show me ______________.
이 모자는 너무 작아요. 다른 것을 보여주세요.

04 Here are two bicycles. ______________ is mine, and ______________ is my sister's. 여기에 자전거가 두 대 있다. 하나는 내 것이고 나머지 하나는 여동생 것이다.

05 There are five cars in the parking lot. One is red, and ______________ are white. 주차장에 다섯 대의 차가 있다. 한 대는 빨간색이고 나머지는 모두 흰색이다.

06 I have three uncles. One lives in Busan, another lives in Seoul, and ______________ lives in Suwon.
나에게는 삼촌 세 명이 있다. 한 명은 부산에 살고, 또 한 명은 서울에 살고, 나머지 한 명은 수원에 산다.

07 One of the twins is a boy, and ______________ is a girl.
쌍둥이 중 한 명은 남자 아이고 나머지 한 명은 여자 아이다.

08 There are five boys in the room. One is ten years old, and ______________ are 12 years old.
방에 다섯 명의 소년이 있다. 한 명은 10살이고 나머지는 모두 12살이다.

09 There are a lot of flowers in the garden. Some are white, and ______________ are red.
정원에는 많은 꽃들이 있다. 일부 몇몇은 하얗고, 일부 몇몇은 빨갛다.

10 There were about 20 people at the restaurant. Some ate pasta, and ______________ ate steak.
식당에 약 20명의 사람이 있었다. 몇몇은 파스타를 먹었고, 나머지 모두는 스테이크를 먹었다.

WORDS
library 도서관　**letter** 편지　**begin** 시작하다　**throw** 던지다　**tomato** 토마토　**show** 보여주다
bicycle 자전거　**parking lot** 주차장　**uncle** 삼촌　**twins** 쌍둥이　**flower** 꽃　**garden** 정원　**restaurant** 식당

Guide

one another는 '서로'라는 의미로 each other와 의미가 비슷합니다.

1 다음 영어를 우리말로 쓰세요.

01 Please give me another cup of coffee.

→ 커피 한 잔 더 주세요.

02 Some students like English, but others don't.

→ ______

03 Be kind to others.

→ ______

04 Some like apples, and the others like oranges.

→ ______

05 Sam has two sisters. One is 17 years old, and the other is 15 years old.

→ ______

2 다음 우리말과 일치하도록 밑줄 친 부분을 바르게 고치세요.

01 I made two kites. One is for my brother and other is for me.
나는 연을 두 개 만들었다. 하나는 남동생 것이고 나머지 하나는 내 것이다. → the other

02 Do you have others question?
또 다른 질문이 있니? → ______

03 Some like summer, and the other like winter.
어떤 사람들은 여름을 좋아하고 어떤 사람들은 겨울을 좋아한다. → ______

04 There are five people on stage. One is Korean, and others are American.
무대에 다섯 명의 사람이 있다. 한 명은 한국인이고, 나머지 모두는 미국인이다. → ______

05 There are three cars in the parking lot.
One is red, other is yellow, and the other is black. → ______
주차장에 세 대의 자동차가 있다. 한 대는 빨간색이고, 또 한 대는 노란색이고 나머지 한 대는 검정색이다.

WORDS
another 또 다른 English 영어 others 다른 사람들 kite 연 question 질문 summer 여름 winter 겨울 stage 무대 American 미국인 parking lot 주차장 yellow 노란(색)

Review Test 1

Chapter 01-04

공부한 날 :　　　　부모님 확인 :

01> 다음 중 대명사와 재귀대명사 연결이 바르지 않은 것을 고르세요.

① I - myself　② she - herself
③ they - themself　④ you - yourself
⑤ we - ourselves

【02~03】 다음 중 빈칸에 들어갈 알맞은 것을 고르세요.

02>

He introduced ________ to us in English.

① myself　② itself
③ himself　④ yourself
⑤ ourselves

03>

She looked at ______ in the mirror.

① myself　② herself
③ himself　④ yourself
⑤ ourselves

04> 다음 중 밑줄 친 부분을 생략해도 되는 것을 고르세요.

① She made the box for herself.
② The dog saw itself in the water.
③ The old woman lived by herself.
④ I met Andy Kim himself in person.
⑤ The boy burned himself in the accident.

【05~07】 다음 중 빈칸에 알맞은 것을 고르세요.

05> Amy lost her bag and bought a new ________.

① one　② it
③ some　④ any
⑤ them

06> Do you have ________ brothers and sisters?

① one　② it
③ some　④ any
⑤ them

07> The computer has ________ problems.

① one　② it
③ some　④ any
⑤ them

08> 다음 중 대화의 빈칸에 알맞은 말이 바르게 짝지어진 것을 고르세요.

A: What do you want?
B: I want ________ bread.
Do you have ________?

① a, any　② some, any
③ some, some　④ any, some
⑤ any, any

09› 다음 중 대화의 빈칸에 알맞은 것을 고르세요.

A: Is there a bakery in the shopping mall?
B: Yes, there is ________ on the second floor.

① one ② it
③ some ④ any
⑤ ones

【10~11】 다음 중 우리말을 영어로 바르게 쓴 것을 고르세요.

10› 각각의 학생은 자신의 컴퓨터가 있다.

① Some students have their computer.
② All the students have their computer.
③ Both students have their computer.
④ Any student has their computer.
⑤ Each student has their own computer.

11› 나는 그들 모두를 사랑한다.

① I love all of them.
② I love both of them.
③ I love some of them.
④ I love any of them.
⑤ I love them.

12› 다음 중 우리말과 일치하도록 빈칸에 알맞은 것을 고르세요.

______ of them enjoyed themselves at the party.
모두가 파티에서 즐거운 시간을 보냈다.

① Some ② All
③ Both ④ Every
⑤ Each

13› 다음 중 빈칸에 들어갈 말이 바르게 짝지어진 것을 고르세요.

I bought two bags. ________ was white, and ________ was red.

① One – two
② One – other
③ One – the other
④ The one – the others
⑤ Some – others

【14~15】 다음 우리말과 일치하도록 빈칸에 알맞은 말을 쓰세요.

14›

Sam and Caty hate ____________.
샘과 캐시는 서로를 싫어한다.

→ ______________________

15›

Some like apples, and ________ like bananas.
일부 몇 명은 사과를 좋아하고, 일부는 바나나를 좋아한다.

→ ______________________

【16~18】 다음 중 빈칸에 알맞은 것을 고르세요.

16› I have two brothers.
One is 11 years old, and ________ is 13 years old.

① one other ② another
③ one another ④ others
⑤ the other

17› I have five apples. One is red, and ________ are green.

① one other ② another
③ one another ④ the others
⑤ the other

18› There are three students in the room. One is from Japan, ________ is from Korea, and the other is from England.

① one other ② another
③ one another ④ the others
⑤ the other

【19~20】 다음 중 우리말을 영어로 바르게 쓴 것을 고르세요.

19› 어떤 사람들은 빨간색을 좋아하고 어떤 사람들은 파란색을 좋아한다.

① Some like red, and others like blue.
② Some like red, and the others like blue.
③ Some like red, and another like blue.
④ One likes red, and others like blue.
⑤ One likes red, and the others like blue.

20› 나는 연필이 다섯 개 있다. 하나는 빨간색이고, 나머지 모두는 초록색이다.

① I have five pencils. One is red, and others are green.
② I have five pencils. One is red, and another are green.
③ I have five pencils. One is red, and the other are green.
④ I have five pencils. One is red, and the others are green.
⑤ I have five pencils. One is red, and some are green.

21› 다음 중 밑줄 친 부분의 쓰임이 잘못된 것을 고르세요.

① I washed the dishes myself.
② I don't have any books.
③ All my friends have boyfriends.
④ Would you like any cake?
⑤ Do you need any bananas?

22› 다음 중 두 문장의 뜻이 같도록 알맞은 재귀대명사를 고르세요.

Does your uncle live alone?
= Does your uncle live ________?

① himself ② by himself
③ of himself ④ to himself
⑤ in himself

23> 다음 중 대화의 빈칸에 알맞은 것을 고르세요.

A: Do you like his songs?
B: No, I don't like ________ of his songs.

① some ② all
③ any ④ every
⑤ one

【24~25】 다음 빈칸에 알맞은 말을 쓰세요.

24>

Amy is only 13 years old, but she cooks for ________.
에이미는 겨우 14살이지만, 직접 요리를 한다.

→ ________________

25>

Help ________.
마음껏 드세요.

→ ________________

26> 다음 대화의 빈칸에 알맞은 대명사를 쓰세요.

A: I'm looking for shoes.
B: How about these brown ______?

→ ________________

【27~29】 다음 우리말과 일치하도록 빈칸에 알맞은 말을 쓰세요.

27> Will you have ________ cup of coffee?
커피 한 잔 더 하시겠습니까?

→ ________________

28> Jane and Ted are my friends. ________ of them like singing.
제인과 테드는 나의 친구다.
둘 다 노래하는 것을 좋아한다.

→ ________________

29> He gave two apples to ________ student.
그는 각각의 학생에게 사과 두 개를 줬다.

→ ________________

30> 다음 그림을 보고 빈칸에 알맞은 대명사를 쓰세요.

There are four cats in the room. One is black, and ________ are brown.

→ ________________

Chapter 05 동명사

1 동명사의 의미와 쓰임

동명사란 동사원형에 -ing를 붙여 명사의 역할을 하도록 만든 것으로 '~하는 것', '~하기' 등으로 해석합니다. 동명사는 명사의 역할을 하기 때문에 문장에서 주어, 목적어, 보어 역할을 할 수 있습니다.

주어 역할 (문장의 맨 앞에 위치하며, '~은'으로 해석합니다.)	**Learning** English is difficult. 영어를 배우는 것은 어렵다. **Listening** to music is my hobby. 음악을 듣는 것이 나의 취미이다.
목적어 역할 (일반동사 뒤에 위치하고, '~을'로 해석합니다.)	I like **listening** to music. 나는 음악 듣는 것을 좋아한다. He enjoys **playing** tennis. 그는 테니스 치는 것을 즐긴다.
보어 역할 (주로 be동사 뒤에 위치하여 주어를 보충 설명해 줍니다.)	His job is **teaching** English. 그의 직업은 영어를 가르치는 것이다. My hobby is **listening** to music. 나의 취미는 음악을 듣는 것이다.
전치사 목적어 역할	We talked about **traveling** all over the world. 우리는 전 세계를 여행하는 것에 대해 얘기했다. I'm sorry for **being** late. 늦은 것에 대해 미안하다.

Tips 전치사 뒤에 동사를 써야 할 때는 항상 [동사+-ing] 형태로 써야 하며, 이때의 동명사를 '전치사의 목적어'라고 합니다.
주어 역할을 하는 동명사는 단수 취급을 하기 때문에 주어가 동명사일 경우 is나 was가 옵니다.
Smoking **is** not good for our health. 흡연은 우리의 건강에 좋지 않다.

2 동명사 만드는 법

대부분의 동사에는 -ing를 붙입니다.	call 부르다 sing 노래하다 fly 날다	→ call + ing → sing + ing → fly + ing	→ call**ing** → sing**ing** → fly**ing**
[자음+e]로 끝나는 동사는 마지막 -e를 빼고 -ing를 붙입니다.	come 오다 write 쓰다 ride 타다	→ com + ing → writ + ing → rid + ing	→ com**ing** → writ**ing** → rid**ing**
-ie로 끝나는 동사는 -ie를 -y로 바꾸고 -ing를 붙입니다.	lie 거짓말하다 tie 묶다	→ ly + ing → ty + ing	→ l**ying** → t**ying**
[자음+모음+자음] 또는 [자음+자음+모음+자음]의 형태로 이루어진 동사는 마지막 자음을 한 번 더 쓰고 -ing를 붙입니다.	sit 앉다 plan 계획하다 run 달리다	→ sitt + ing → plann + ing → runn + ing	→ sit**ting** → plan**ning** → run**ning**

Tips 진행형에 사용하는 [동사+ing]와 동명사를 만드는 방법은 같습니다.

동명사는 문장에서 주어, 목적어, 보어 역할을 할 수 있습니다.

1 다음 문장에서 밑줄 친 부분이 무슨 역할을 하는지 쓰세요.

01 Seeing is believing. → 보어
보는 것이 믿는 것이다.

02 Teaching math is her job. → ______
수학을 가르치는 것이 그녀의 직업이다.

03 My hobby is watching movies. → ______
나의 취미는 영화를 보는 것이다.

04 Swimming in this river is dangerous. → ______
강에서 수영하는 것은 위험하다.

05 Fishing is popular among a lot of people. → ______
낚시는 많은 사람들 사이에서 인기가 있다.

06 We don't like running. → ______
우리는 달리기를 싫어한다.

07 They are good at playing soccer. → ______
그들은 축구를 잘한다.

08 My dream is becoming a doctor. → ______
나의 꿈은 의사가 되는 것이다.

09 Playing baseball is fun. → ______
야구하는 것은 재미있다.

10 Sam enjoys watching movies. → ______
샘은 영화 보는 것을 즐긴다.

11 Getting up early is good for your health. → ______
일찍 일어나는 것이 너의 건강에 좋다.

12 I like playing sports on Sundays. → ______
나는 일요일마다 운동하는 것을 좋아한다.

WORDS

see 보다 **believe** 믿다 **math** 수학 **job** 직업 **hobby** 취미 **river** 강 **dangerous** 위험한 **popular** 인기 있는 **among** 사이에서 **be good at** ~을 잘하다 **dream** 꿈 **health** 건강 **Sunday** 일요일

대부분의 동사에는 -ing를 붙여 동명사를 만듭니다.

1 다음 우리말과 일치하도록 보기의 단어를 이용하여 빈칸에 알맞은 동명사를 쓰세요.

talk go keep swim eat
play watch invite become sing

01 Alex likes ___talking___ with his friends.
알렉스는 친구들과 얘기하는 것을 좋아한다.

02 ______________ a diary every day is difficult.
매일 일기를 쓰는 것은 어렵다.

03 I don't feel like ______________ a hamburger.
나는 햄버거를 먹고 싶지 않다.

04 I learned ______________ when I was six years old.
나는 여섯 살 때 수영하는 것을 배웠다.

05 How about ______________ out for a walk?
산책하러 나가는 거 어때?

06 I like ______________ with my friends.
나는 친구들과 노는 것을 좋아한다.

07 She is not good at ______________.
그녀는 노래를 잘하지 못한다.

08 ______________ movies is my hobby.
영화 보는 것이 나의 취미이다.

09 His dream is ______________ a singer.
그의 꿈은 가수가 되는 것이다.

10 Thank you for ______________ me.
나를 초대해줘서 고맙다.

WORDS

invite 초대하다 **become** 되다 **keep a diary** 일기 쓰다 **difficult** 어려운 **hamburger** 햄버거 **learn** 배우다 **movie** 영화 **hobby** 취미 **dream** 꿈 **singer** 가수 **thank** 감사하다

Guide

동명사는 '~하는 것', '~하기' 등으로 해석합니다.

1 다음 주어진 단어를 이용하여 동명사 문장을 완성하세요.

01 그는 바다에서 수영하는 것을 좋아한다. (swim / likes / in the sea)

→ He ___likes swimming in the sea___.

02 그녀는 그림 그리는 것을 잘한다. (good / pictures / draw / at)

→ She is ______________________.

03 도시에서 사는 것은 즐겁다. (in the city / live / is)

→ ______________________ exciting.

04 그녀는 6시까지 방 청소하는 것을 끝낼 것이다. (the room / finish / clean)

→ She will ______________________ by 6.

05 나의 꿈은 경찰관이 되는 것이다. (a police officer / become)

→ My dream is ______________________.

06 책을 읽는 것이 나의 취미다. (is / books / read)

→ ______________________ my hobby.

07 그녀의 직업은 신발을 파는 것이다. (sell / is / shoes)

→ Her job ______________________.

08 나의 아빠는 금연을 하셨다. (stopped / smoke)

→ My dad ______________________.

09 그녀는 그 편지를 다 읽었다. (finished / read / the letter)

→ She ______________________.

10 오늘 오후에 테니스 치는 거 어떠니? (play / tennis / this afternoon)

→ How about ______________________?

11 앨리스는 매운 음식 먹는 것을 좋아하지 않는다. (like / eat / spicy food)

→ Alice doesn't ______________________.

12 그의 일은 창문을 청소하는 것이다. (clean / is / windows)

→ His job ______________________.

WORDS

sea 바다 **picture** 그림 **draw** 그리다 **city** 도시 **live** 살다 **exciting** 신나는 **finish** 끝내다 **police officer** 경찰관 **sell** 팔다 **smoke** 흡연하다 **letter** 편지 **afternoon** 오후 **spicy** 매운

Chapter 06 to부정사

1 to부정사의 의미와 쓰임

to부정사란 [to+동사원형] 형태로 문장 안에서, 명사·형용사·부사의 역할을 할 수 있습니다. 여기에서의 부정(不定)은 정해지지 않았다는 의미로 to부정사는 쓰임이 정해지지 않았기 때문에, 모양은 같아도 문장 안에서 다양한 역할(명사·형용사·부사)을 할 수 있습니다. 이번 Chapter에서는 to부정사가 명사의 역할을 하는 것을 배울 것입니다.

주어 역할 (문장의 맨 앞에 위치하며, '~이', '~은'으로 해석합니다.)	**To take** pictures is my hobby. 사진 찍는 것이 나의 취미다. **To learn** English is difficult. 영어를 배우는 것은 어렵다.
목적어 역할 (일반동사 뒤에 위치하고, '~을'로 해석합니다.)	I want **to listen** to music. 나는 음악 듣는 것을 원한다. We hope **to see** you soon. 우리는 곧 너를 보기를 희망한다.
보어 역할 (주로 be동사 뒤에 위치하여 주어를 보충 설명해 줍니다.)	My dream is **to become** a writer. 나의 꿈은 작가가 되는 것이다. His job is **to teach** English. 그의 직업은 영어를 가르치는 것이다.

Tips 주어와 보어로 사용된 동명사와 to부정사는 의미가 같아서 서로 바꿔 쓸 수 있습니다.
Riding a skateboard is exciting. = **To ride** a skateboard is exciting. 스케이트보드를 타는 것은 즐겁다. (주어)
Your job is **washing** the dishes. = Your job is **to wash** the dishes. 너의 일은 설거지하는 것이다. (보어)

2 의문사 + to부정사

[의문사+to부정사]는 명사 역할을 하여 문장에서 목적어로 사용할 수 있습니다.

what + to 동사원형 (무엇을 ~할지)	I don't know **what to do**. 나는 무엇을 해야 할지 모르겠다.
where + to 동사원형 (어디에 / 어디로 ~할지)	I don't know **where to go**. 나는 어디로 가야 할지 모르겠다.
when + to 동사원형 (언제 ~할지)	I don't know **when to start**. 나는 언제 시작해야 할지 모르겠다.
how + to 동사원형 (어떻게 ~할지 / ~하는 법)	I don't know **how to study English**. 나는 영어를 어떻게 공부해야 할지 모르겠다.

Tips 의문사 why는 to부정사와 함께 사용하지 않습니다.
I don't know why to study English. (X)

to부정사는 문장 안에서 주어, 목적어, 보어 역할을 할 수 있습니다.

1 다음 문장에서 밑줄 친 부분이 무슨 역할을 하는지 쓰세요.

01 To see is to believe. → 보어
보는 것이 믿는 것이다.

02 Please tell me when to start. → ________
언제 시작할지 말해 주세요.

03 My hobby is to watch movies. → ________
나의 취미는 영화를 보는 것이다.

04 To take pictures is my hobby. → ________
사진 찍는 것이 나의 취미다.

05 I don't want to go out today. → ________
나는 오늘 외출하고 싶지 않다.

06 To drink milk is good for your health. → ________
우유를 마시는 것이 너의 건강에 좋다.

07 They don't know how to play baseball. → ________
그들은 야구하는 방법을 모른다.

08 My dream is to be a doctor. → ________
나의 꿈은 의사가 되는 것이다.

09 To play baseball is fun. → ________
야구하는 것은 재미있다.

10 Sam planned to visit Korea next month. → ________
샘은 다음 달 한국을 방문하는 계획을 세웠다.

11 His job is to clean the building. → ________
그의 일은 건물을 청소하는 것이다.

12 We decided to go to the museum. → ________
우리는 박물관에 갈 것을 결정했다.

WORDS
believe 믿다 **please** 제발 **hobby** 취미 **picture** 사진 **go out** 외출하다 **milk** 우유 **health** 건강 **baseball** 야구 **fun** 재미있는 **visit** 방문하다 **job** 일 **building** 건물 **decide** 결정하다

Practice 2

Guide

주어와 보어로 사용된 동명사와 to부정사는 의미가 같아서 바꿔 쓸 수 있습니다.

1 다음 우리말과 일치하도록 보기의 단어를 이용하여 빈칸에 알맞은 to부정사를 쓰세요.

make see buy watch master

01 We'd like ___to see___ you again.
우리는 당신을 다시 보기를 원한다.

02 I decided ______________ the book.
나는 그 책을 사기로 결심했다.

03 I want ______________ a lot of friends.
나는 많은 친구를 사귀기를 원한다.

04 ______________ movies is my hobby.
영화 보는 것이 나의 취미다.

05 My goal is ______________ English.
나의 목표는 영어를 마스터하는 것이다.

2 다음 우리말과 일치하도록 보기의 의문사와 주어진 단어를 이용하여 문장을 완성하세요.

how when where what

01 We learned ___how to make___ pizza. (make)
우리는 피자 만드는 방법을 배웠다.

02 I don't know ______________ first. (do)
나는 우선 무엇을 해야 할지 모르겠다.

03 Do you know ______________ the washing machine? (use)
너는 세탁기를 어떻게 사용하는지 아니?

04 I don't know ______________ my car. (park)
나는 내 차를 어디에 주차해야 할지 모르겠다.

05 Please tell me ______________ home. (go)
언제 집에 가는지 내게 말해 주세요.

WORDS

master 마스터하다 **again** 다시 **decide** 결정하다 **a lot of** 많은 **movie** 영화 **hobby** 취미 **goal** 목표 **learn** 배우다 **first** 우선 **machine** 기계 **park** 주차하다

[의문사+to부정사]는 문장에서 목적어로 사용할 수 있습니다.

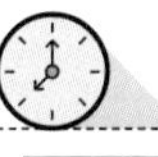

1 다음 우리말과 일치하도록 주어진 단어를 이용하여 **to**부정사 문장을 완성하세요.

01 나의 취미는 책을 읽는 것이다. (is / books / read)

→ My hobby ______ is to read books ______.

02 그녀는 영화를 보러 가기를 원한다. (wants / to the movies / go)

→ She ____________________.

03 그녀는 간호사가 되기를 바란다. (hopes / be / a nurse)

→ She ____________________.

04 그녀의 직업은 야채를 파는 것이다. (sell / is / vegetables)

→ Her job ____________________.

05 그는 새 자동차를 살 것을 계획했다. (buy / planned / a new car)

→ He ____________________.

06 그는 바다에서 어떻게 수영하는지 안다. (knows / how / swim)

→ He ____________________ in the sea.

07 컴퓨터 게임하는 것은 재미있다. (play / is / computer games)

→ ____________________ fun.

08 나의 꿈은 과학자가 되는 것이다. (a scientist / become / is)

→ My dream ____________________.

09 매일 일기를 쓰는 것은 쉽지 않다. (keep / a diary / every day)

→ ____________________ is not easy.

10 그녀는 그곳에 가기로 결심했다. (go / decided / there)

→ She ____________________.

11 역에 어떻게 가는지 말해 주세요. (get / how / to the station)

→ Please tell me ____________________.

12 나는 저녁으로 무엇을 먹을지 결정하지 못했다. (what / eat / for dinner)

→ I didn't decide ____________________.

WORDS

read 읽다 **hobby** 취미 **hope** 바라다 **nurse** 간호사 **vegetable** 야채 **plan** 계획하다
know 알다 **sea** 바다 **diary** 일기 **every day** 매일 **decide** 결심하다 **station** 역 **dinner** 저녁(식사)

Chapter 07 동사+동명사/동사+to부정사

1 동명사를 쓰는 이유

영어는 한 문장에 동사가 한 개만 와야 하는데 동사를 두 번 써야 하는 경우가 있기 때문에 '동사+ing'의 형태로 동명사를 만들어 사용합니다.

I enjoy read books. (X) → I enjoy **reading** books. (O) 나는 책 읽는 것을 즐긴다.

2 동명사와 함께하는 동사

주어	+	enjoy(즐기다), keep(계속하다), stop(멈추다), practice(연습하다), finish(끝내다), give up(포기하다), mind(꺼려하다)	+	동명사(-ing) 목적어

She **enjoys** watching TV. 그녀는 TV 보는 것을 즐긴다.
I **gave up** becoming a pianist. 나는 피아니스트가 되는 것을 포기했다.

3 to부정사를 쓰는 이유

to부정사는 'to+동사원형'의 형태로 동명사가 명사 역할을 하는 것과 달리 명사, 형용사, 부사 역할을 합니다. to부정사 역시 한 문장에서 동사를 두 번 써야 하는 경우에 to부정사를 사용합니다.

I want buy the book. (X) → I want **to buy** the book. (O) 나는 그 책을 사기를 원한다.

4 to부정사와 함께하는 동사

주어	+	want(원하다), hope(희망하다), plan(계획하다), promise(약속하다), decide(결심하다), expect(기대하다), need(필요하다), agree(동의하다)	+	to 동사원형 목적어

She **wants** to join the reading club. 그녀는 독서 클럽에 가입하기를 원한다.
You **need** to take a break. 너는 휴식이 필요하다.

5 동명사와 to부정사를 모두 함께하는 동사 – 목적어로 동명사나 to부정사를 모두 쓸 수 있습니다.

주어	+	like(좋아하다), love(사랑하다), hate(싫어하다), start(시작하다), begin(시작하다), continue(계속하다)	+	to 동사원형 동명사(-ing) 목적어

Mike **loves** swimming in the sea. 마이크는 바다에서 수영하는 것을 좋아한다.
= Mike **loves** to swim in the sea.
It **started** to rain suddenly. 갑자기 비가 내리기 시작했다.
= It **started** raining suddenly.

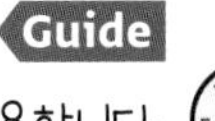

동사를 두 번 써야 하는 경우 동명사나 to부정사를 사용합니다.

1 다음 괄호 안에서 알맞은 것을 고르세요. (필요하면 두 개 모두 고르세요.)

01 I want (taking / to take) a walk.
나는 산책을 하고 싶다.

02 He doesn't mind (eating / to eat) meat.
그는 고기 먹는 것을 꺼려하지 않는다.

03 You don't need (going / to go) there.
너는 그곳에 갈 필요가 없다.

04 They finished (washing / to wash) the car.
그들은 세차하는 것을 마쳤다.

05 He gave up (keeping / to keep) a diary.
그는 일기 쓰는 것을 포기했다.

06 I love (cooking / to cook) Korean food.
나는 한국 음식 요리하는 것을 좋아한다.

07 She planned (traveling / to travel) around the world.
그녀는 전 세계 여행하는 계획을 세웠다.

08 How about (going / to go) to the movies tonight?
오늘 밤 영화 보러 가는 거 어때?

09 Ted practices (dancing / to dance) ballet every day.
테드는 매일 춤 연습을 한다.

10 They promised (coming / to come) back before 12 o'clock.
그들은 12시 전에 돌아온다고 약속했다.

11 You must not agree (doing / to do) it.
너는 그것을 한다고 동의하면 안 된다.

12 It began (raining / to rain) from two o'clock.
2시부터 비가 내리기 시작했다.

WORDS

mind 꺼리다 **meat** 고기 **finish** 마치다 **wash the car** 세차하다 **give up** 포기하다 **diary** 일기 **travel** 여행하다 **around the world** 전 세계 **dance** 춤추다 **promise** 약속하다 **agree** 동의하다

to부정사는 동명사와는 달리 명사, 형용사, 부사 역할을 합니다.

1 다음 우리말과 일치하도록 주어진 단어를 알맞은 형태로 쓰세요.

01 I hope ______to see______ you again. (see)
나는 너를 다시 만나기를 희망한다.

02 Tony decided ____________ Chinese. (learn)
토니는 중국어를 배우기로 결심했다.

03 She kept ____________ at her watch. (look)
그녀는 계속 시계를 보았다.

04 I planned ____________ computer lessons. (take)
나는 컴퓨터 수업을 받을 계획을 세웠다.

05 They gave up ____________ a new car. (buy)
그들은 새 자동차 사는 것을 포기했다.

06 He promised ____________ us. (help)
그는 우리를 도와주겠다고 약속했다.

07 They enjoy ____________ Korean food. (cook)
그들은 한국 음식을 요리하는 것을 즐긴다.

08 We expect ____________ at the hotel on October 12th. (arrive)
우리는 호텔에 10월 12일에 도착할 예정이다.

09 Would you mind ____________ the window? (open)
창문을 열어도 되겠습니까?

10 He continued ____________ as a nurse until 2004. (work)
그는 2004년까지 간호사로 근무를 계속했다.

11 Do you hate ____________ about yourself? (talk)
너는 자신에 대해 얘기하는 것을 싫어하니?

WORDS

again 다시 **decide** 결심하다 **plan** 계획하다 **lesson** 수업 **promise** 약속하다 **help** 돕다 **expect** 기대하다 **arrive** 도착하다 **continue** 계속하다 **nurse** 간호사 **until** ~까지 **hate** 싫어하다

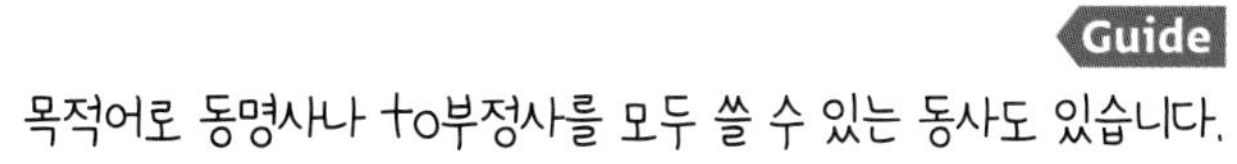

1 다음 밑줄 친 부분을 바르게 고치세요.

01 She enjoys to read fairy tales. → reading
그녀는 동화책 읽는 것을 즐긴다.

02 He decided leaving Korea this month. → ______
그는 이번 달 한국을 떠나기로 결심했다.

03 He gave up to study abroad. → ______
그는 해외에서 공부하는 것을 포기했다.

04 Finish to clean your room within an hour. → ______
한 시간 내로 네 방 청소를 끝내라.

05 It continued to raining until late at night. → ______
밤늦게까지 계속 비가 왔다.

06 My dad likes ride a motorcycle. → ______
나의 아빠는 오토바이 타는 것을 좋아하신다.

07 I don't mind to get up early in the morning. → ______
나는 아침에 일찍 일어나는 것을 꺼려하지 않는다.

08 He needs to practicing the guitar. → ______
그는 기타를 연습할 필요가 있다.

09 I practice to speak and to write at home. → ______
나는 집에서 말하기와 쓰기 연습을 한다.

10 He finished to fix the computer. → ______
그는 컴퓨터 수리를 마쳤다.

11 The baby kept to cry every night. → ______
그 아기는 매일 밤 계속 울었다.

12 He agreed working on Sunday. → ______
그는 일요일에 일하기로 동의했다.

WORDS

fairy tale 동화 **leave** 떠나다 **month** 달, 월 **abroad** 해외로 **hour** 시간 **continue** 계속하다 **at night** 밤에 **motorcycle** 오토바이 **early** 일찍 **practice** 연습하다 **guitar** 기타 **fix** 고치다 **agree** 동의하다

제안/권유 표현

1 제안이나 권유의 표현

우리가 상대방에게 뭔가를 같이 하자고 제안하거나 권유하는 것을 제안문 또는 청유문이라고 하며 '~하자', '우리 ~할래?', '~하는 게 어때?' 등으로 해석합니다.

Clean the room. 방을 청소해라. (명령문)

Let's clean the room. 방을 청소하자. (제안문)

2 Let's를 이용한 제안문

[Let's+동사원형]을 사용해서 '~하자'라는 의미와 [Let's not+동사원형]을 사용해서 '~하지 말자'라는 의미의 제안문을 만들 수 있습니다.

Let's + 동사원형 ~. (~하자)	**Let's play** baseball. 야구하자. **Let's take** a break. 휴식하자. **Let's go** to the movies. 영화 보러 가자.
Let's not + 동사원형 ~. (~하지 말자)	**Let's not go** outside. 밖에 나가지 말자. **Let's not waste** water. 물을 낭비하지 말자. **Let's not fight** anymore. 더 이상 싸우지 말자.

3 How about + 동명사 ~?를 이용한 제안문

[How about+동명사 ~?]는 '우리 ~할래?', '~하는 게 어때?' 등의 의미로 상대방에게 뭔가를 제안하거나 요청할 때 사용합니다.

How about + 동명사 ~? (우리 ~할래?, ~하는 게 어때?)	**How about playing** baseball? 야구하는 게 어때? **How about eating** pizza? 피자 먹는 게 어때? **How about going** shopping together? 같이 쇼핑 갈래?

4 Why don't we + 동사원형 ~?을 이용한 제안문

[Why don't we+동사원형 ~?]은 '우리 ~할래?', '~하는 게 어때?' 등의 의미로 상대방에게 뭔가를 제안하거나 요청할 때 사용합니다.

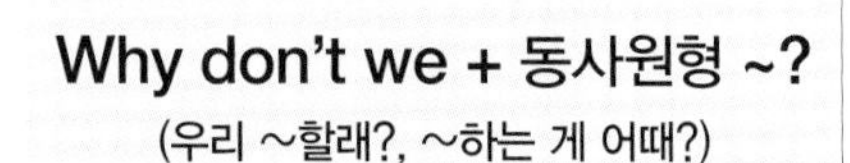 Why don't we + 동사원형 ~? (우리 ~할래?, ~하는 게 어때?)	**Why don't we take** a walk? 산책 갈까? **Why don't we go** swimming tomorrow? 내일 수영하러 가는 게 어때?

Tips [Why don't you+동사원형 ~?]은 '~하는 게 어때?'라는 의미로 상대방에게 뭔가를 권유할 때 사용합니다.
Why don't we take a walk? 산책 갈까? (말하는 사람을 포함해서 함께 산책하는 의미)
Why don't you take a walk? 너 산책 가는 게 어때? (말하는 사람은 포함되지 않음 - 상대방에게만 산책하라는 의미)

5 대답하기

	승낙	거절
A: Let's go to the movies. 영화 보러 가자.	B: Sure. / Okay. / That sounds great.	B: No, let's not. / I'm sorry, but I can't. / I'd like to, but I can't.
A: How about playing baseball? 야구하는 게 어때?	B: Sure. / Okay. / Why not? / That sounds great.	B: I'm sorry, but I can't. / I'd like to, but I can't.

Guide
[Let's+동사원형]을 사용해서 '~하자'라는 제안문을 만들 수 있습니다.

1 다음 괄호 안에서 알맞은 것을 고르세요.

01 I feel hungry. (Let's / Let's not) order some pizza.
나 배고프다. 피자를 좀 주문하자.

02 I'm free today. (Let's / Let's not) go to the movies.
나는 오늘 한가하다. 영화 보러 가자.

03 You look tired. (Why don't you / Let's not) take a break?
너 피곤해 보인다. 휴식하는 게 어때?

04 It's very cold today. (Let's / Let's not) go outside.
오늘 날씨가 매우 춥다. 밖에 나가지 말자.

05 The bus is too crowded. (Let's / Let's not) take the bus.
그 버스에 사람이 많다. 그 버스 타지 말자.

06 How about (take / taking) a walk after lunch?
점심식사 후 산책하는 게 어때?

07 I feel thirsty. Why don't we (drink / drinking) soda?
나는 목이 마르다. 탄산음료 마시는 게 어때?

08 We need some vegetables. (Let's / Let's not) go to the market together.
우리는 야채가 좀 필요하다. 시장에 함께 가자.

09 We don't need a new computer. (Let's / Let's not) waste money.
우리는 새로운 컴퓨터가 필요하지 않다. 돈을 낭비하지 말자.

WORDS
hungry 배고픈 order 주문하다 free 한가한 tired 피곤한 take a break 휴식하다
go outside 밖에 나가다 crowded 붐비는 thirsty 목마른 market 시장 waste 낭비하다 money 돈

[How about+동명사 ~?]는 '우리 ~할래?,' '~하는 게 어때?' 등의 의미입니다.

1 다음 문장에서 어색한 부분을 고쳐 다시 쓰세요.

01 Let's meets at the café tomorrow.
→ Let's meet at the café tomorrow.

02 How about go hiking tomorrow?
→ ____________________

03 Let's not swimming in the river.
→ ____________________

04 Let's not playing computer games today.
→ ____________________

05 Let's buys a present for him.
→ ____________________

06 Why don't you buying some apples for her?
→ ____________________

07 How about go skating now?
→ ____________________

08 Why don't we going on a picnic tomorrow?
→ ____________________

09 Let's playing basketball this weekend.
→ ____________________

10 Let's not to make noise.
→ ____________________

11 Why don't we going swimming now?
→ ____________________

12 Why don't you stays at the hotel?
→ ____________________

WORDS
meet 만나다 tomorrow 내일 hiking 하이킹 river 강 today 오늘 present 선물 buy 사다 picnic 소풍 weekend 주말 make nose 시끄럽게 하다 now 지금 stay 머물다 hotel 호텔

Practice 3

Guide

[Why don't we+동사원형 ~?] 형태로 상대에게 제안하거나 요청할 수 있습니다.

1 다음 우리말과 일치하도록 주어진 단어를 이용하여 문장을 완성하세요.

01 우리 함께 노래하자. (sing)

→ Let's ____ sing ____ together.

02 내일 5시에 만나는 게 어때? (meet)

→ ________ about ________ at five tomorrow?

03 계획을 바꾸지 말자. (change)

→ ________ ________ ________ the plan.

04 점심으로 피자 먹는 게 어때? (have)

→ ________ about ________ pizza for lunch?

05 너는 호텔이 머무르는 게 어때? (stay)

→ ________ don't ________ ________ at the hotel?

06 우리는 소풍 가는 게 어때? (go)

→ ________ ________ we ________ on a picnic?

2 다음 문장의 빈칸에 **Let's**와 **Let's not** 중 알맞은 것을 쓰세요.

01 It's raining now. ____ Let's ____ stay home.

02 Today is Sam's birthday. ________ have a party.

03 We don't have much water. ________ waste water.

04 The baby is sleeping. ________ make noise.

05 We need fresh air. ________ take a walk.

06 We are late. ________ take a taxi.

WORDS

together 함께 **tomorrow** 내일 **change** 바꾸다 **plan** 계획 **picnic** 소풍 **birthday** 생일 **party** 파티 **water** 물 **make noise** 시끄럽게 하다 **fresh** 신선한 **air** 공기 **take a walk** 산책하다 **taxi** 택시

Review Test 2

Chapter 05-08

공부한 날 : 부모님 확인 :

【01~02】 다음 중 보기에 사용된 동명사와 쓰임이 같은 것을 고르세요.

01› Playing baseball is fun.

① Do you like singing?
② I'm sorry for being late.
③ I love jogging in the morning.
④ He gave up smoking last month.
⑤ Solving math problems is difficult.

02› My hobby is listening to music.

① We don't like running.
② The boys finished playing soccer.
③ Learning English is not easy.
④ My job is designing buildings.
⑤ Sam likes swimming in the sea.

03› 다음 중 두 문장에 공통으로 알맞은 것을 고르세요.

- She enjoyed ________ the guitar yesterday.
- I like ________ computer games.

① to play ② playing
③ taking ④ to take
⑤ took

04› 다음 중 빈칸에 알맞은 말이 순서대로 짝지어진 것을 고르세요.

- I'm interested in ________ pizza.
- Thank you for ________ me.

① make - invite
② making - inviting
③ make - to invite
④ making - invite
⑤ to make - to invite

05› 다음 중 밑줄 친 동명사 쓰임이 다른 것을 고르세요.

① I finished painting the fence.
② His hobby is taking pictures of animals.
③ Jenny keeps watering the flowers.
④ They stopped dancing at the party.
⑤ George enjoys going on a trip.

【06~07】 다음 중 보기에 사용된 to부정사와 쓰임이 같은 것을 고르세요.

06› My dream is to become a doctor.

① Do you like to read books?
② To ride a bicycle is interesting.
③ I decided to visit Seoul.
④ My plan is to finish this homework.
⑤ I want to be a basketball player.

07› He wants to get a job.

① To see is to believe.
② Her plan is to buy a new computer.
③ My dream is to be a singer.
④ My brother decided to join the club.
⑤ To travel around the world takes a lot of time.

【08~09】 다음 빈칸에 주어진 단어를 알맞은 형태로 쓰세요.

08› play

→ She practiced __________ the piano.

09› drink

→ You need __________ more water.

【10~11】 다음 중 빈칸에 어울리지 않는 것을 고르세요.

10› She __________ to go to the beach.

① gave up ② wanted
③ liked ④ decided
⑤ planned

11› Amy __________ playing the guitar.

① enjoys ② hoped
③ stopped ④ liked
⑤ gave up

12› 다음 중 밑줄 친 부분이 어색한 것을 고르세요.

① I don't feel like having dinner now.
② I don't mind to clean the house.
③ She wanted to listen to music.
④ He is good at swimming in the river.
⑤ He enjoyed running to the park.

【13~15】 다음 중 우리말과 일치하도록 빈칸에 알맞은 것을 고르세요.

13› He kept __________ a ball to me.
그는 계속해서 내게 볼을 던졌다.

① throw ② threw
③ to threw ④ throwing
⑤ to throwing

14› He promised __________ English.
그는 영어를 배우기로 약속했다.

① learn ② learned
③ learning ④ to learn
⑤ to learning

15› She doesn't mind ____________ in China.

그녀는 중국에서 사는 것을 꺼려하지 않는다.

① live ② to live
③ lived ④ living
⑤ to living

【16~17】 다음 빈칸에 알맞은 말을 쓰세요.

16›

I don't know ____________ to drive a car.

나는 운전하는 방법을 모른다.

→ ____________________

17›

I don't know ____________ to eat.

나는 무엇을 먹어야 할지 모르겠다.

→ ____________________

【18~19】 다음 중 우리말을 영어로 바르게 쓴 것을 고르세요.

18› 돈을 낭비하지 말자.

① Let's waste money.
② Let's not to waste money.
③ Let's not wasting money.
④ Let's don't waste money.
⑤ Let's not waste money.

19› 그녀를 위해서 장미를 사는 게 어때?

① Why about buying some roses for her?
② Why do you buying some roses for her?
③ Why don't we buy some roses for her?
④ How don't we buying some roses for her?
⑤ Why don't we buying some roses for her?

20› 다음 중 질문에 알맞은 답변을 고르세요.

How about playing baseball?

① That sounds great.
② Yes, I did.
③ Yes, we do.
④ My pleasure.
⑤ Nice to meet you.

21› 다음 중 빈칸에 알맞은 것을 고르세요.

You look tired. ____________ take a break?

① Why did you ② Why don't you
③ How about ④ Let's not
⑤ Don't

22› 다음 중 질문에 어울리지 않는 답변을 고르세요.

How about joining the painting club?

① Sure. ② Why not?
③ Sounds great. ④ Sorry, I can't.
⑤ No, I didn't.

23> 다음 중 빈칸에 어울리지 않는 단어를 고르세요.

They ________ singing.

① likes ② loved
③ planned ④ hated
⑤ started

24> 다음 중 어색한 문장을 고르세요.

① He is good at making cookies.
② I hate living alone.
③ I don't know where to going.
④ Jogging is good for your health.
⑤ My goal is becoming a teacher.

25> 다음 빈칸에 알맞은 말을 쓰세요.

Today is my birthday. ________ about eating out?

→ ________

26> 다음 우리말과 일치하도록 문장을 완성하세요.

나는 피자 만드는 방법을 모른다.
I don't know ________ pizza. (make)

→ ________

【27~28】 다음 밑줄 친 부분을 바르게 고치세요.

27> Have good friends is important.
좋은 친구를 사귀는 것이 중요하다.

→ ________

28> She continued cry until her mother came home.
그녀는 어머니가 오실 때까지 계속 울었다.

→ ________

29> 다음 대화의 빈칸에 알맞은 말을 쓰세요.

A: How about playing computer games?
B: ________, but I have to finish my homework.

→ ________

30> 다음 주어진 단어를 바르게 배열하세요.

(to / where / park / my car)
나는 내 차를 어디에 주차해야 할지 모르겠다.

→ I don't know ________
________.

Chapter 09 현재분사

1 분사의 의미와 쓰임

분사란 동사가 형용사 역할을 하는 것을 말하며, 분사에는 현재분사와 과거분사가 있습니다. 현재분사는 '동사 -ing'의 형태이며, 과거분사는 '동사+ed'와 '불규칙' 두 가지 형태가 있습니다.

a **sleeping** baby (현재분사) 잠자는 아기
a **used** car (과거분사) 중고차
a **broken** window (과거분사 - 불규칙) 깨진 창문

Tips 분사를 따로 만들어 사용하는 이유는 형용사가 표현하지 못하는 '움직임이나 상태' 등으로 명사를 꾸며야 할 때가 있기 때문입니다.
I saw a sleep cat. (X) → I saw a **sleeping** cat. 나는 자고 있는 고양이를 보았다.
I bought a use car. (X) → I bought a **used** car. 나는 중고차를 샀다.

2 현재분사의 의미와 쓰임

현재분사는 '~하는' 등의 의미를 가지고 있으며, 명사의 앞이나 뒤에 와서 명사를 꾸며주는 역할을 하거나 동사 뒤에 위치하여 주어에 대한 보충 설명을 하는 역할을 합니다.

역할	예문
명사를 앞에서 수식하는 역할	The **sleeping** baby is my brother. 그 자고 있는 아기는 나의 남동생이다. Do you like the **dancing** boy? 너는 춤추는 소년을 좋아하니?
명사를 뒤에서 수식하는 역할	The woman **sitting** on the sofa is my mom. 소파에 앉아 있는 여성은 나의 엄마다. Do you know the girl **playing** the piano on stage? 너는 무대에서 피아노를 연주하는 소녀를 아니?
주어를 보충 설명하는 역할 ※ 주어의 동작이나 상태를 나타냄	The movie is very **interesting**. 그 영화는 매우 흥미롭다. The game was **exciting**. 그 경기는 흥미진진했다.

Tips
- 현재분사와 현재진행형
  현재분사는 동사에 -ing를 붙인 형태를 말하며 현재진행형은 [be동사+현재분사]의 형태를 말합니다.
  She **is crying** in the room.은 현재분사 crying에 be동사 is가 합쳐져서 현재진행형 문장이 된 것입니다.
- [동사+-ing] 형태의 현재분사와 동명사는 만드는 방법이 같습니다.
- 분사가 명사를 뒤에서 수식하는 경우
  분사 뒤에 분사의 목적어나 또는 [전치사+명사] 등의 어구가 연결되어 있을 경우 명사를 뒤에서 수식합니다.
  The boy **walking** the dog is my brother. 개를 산책시키고 있는 소년은 나의 남동생이다.
  (분사+분사의 목적어)
  Do you know the woman **sitting** on the sofa? 너는 소파에 앉아 있는 여자를 아니?
  (분사+전치사+명사)

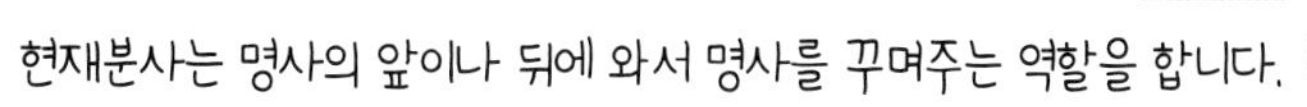

1 다음 영어를 우리말로 쓰세요.

01 a running dog → 달리는 개

02 a crying boy → ____________

03 shocking news → ____________

04 a smiling boy → ____________

05 the man sitting on the sofa → ____________

06 the woman making pizza → ____________

07 a boring game → ____________

08 a dancing girl → ____________

09 a flying bird → ____________

10 falling leaves → ____________

11 the cat sleeping on the sofa → ____________

12 the boy reading a book → ____________

13 the rising sun → ____________

14 a rolling stone → ____________

15 the woman watching a movie → ____________

WORDS

running 달리는 **crying** 우는 **shocking** 놀라운 **woman** 여자 **boring** 지루한 **bird** 새 **leaf** 나뭇잎 **rising** 떠오르는 **sun** 태양 **rolling** 구르는 **stone** 돌 **movie** 영화

Guide
현재분사는 동사 뒤에 위치하여 주어에 대한 보충 설명을 하기도 합니다.

1 다음 우리말과 일치하도록 단어를 배열하세요. (필요하면 단어를 변형하세요.)

01 잠자는 아기 (a / baby / sleep) → a sleeping baby

02 불타는 집 (a / house / burn) → ______________

03 걸어가는 소녀 (a / girl / walk) → ______________

04 날아가는 비행기 (a / plane / fly) → ______________

05 떨어지는 나뭇잎들 (fall / leaves) → ______________

06 흥미로운 경기 (an / game / excite) → ______________

07 피아노를 치는 소년
(the boy / play / the piano) → ______________

08 길을 건너는 남자
(the man / cross / the street) → ______________

09 노래하는 소년 (a / sing / boy) → ______________

10 청소하는 남자 (a / man / clean) → ______________

11 책을 읽고 있는 학생
(the student / read / a book) → ______________

12 구르고 있는 공 (a / roll / ball) → ______________

13 짖고 있는 개 (a / dog / bark) → ______________

14 도로 위를 달리는 자동차
(the car / run / on the road) → ______________

15 안경을 쓴 소녀 (the girl / wear / glasses) → ______________

WORDS
baby 아기 **sleep** 자다 **house** 집 **burn** 타다 **plane** 비행기 **fly** 날다 **fall** 떨어지다
leaf 나뭇잎 **excite** 흥분시키다 **cross** 건너다 **street** 길 **roll** 구르다 **bark** 짖다 **glasses** 안경

Practice 3

현재분사는 '~하는' 등의 의미이며 '동사+-ing'의 형태입니다.

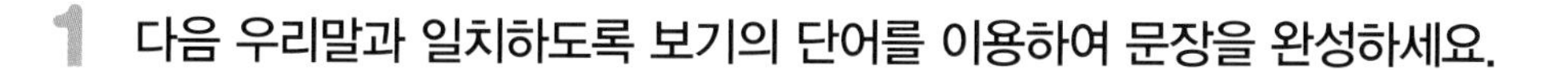

1 다음 우리말과 일치하도록 보기의 단어를 이용하여 문장을 완성하세요.

sit cry bore rise dance
shout smile amaze fly swim

01 Do you know the woman ___sitting___ on the bench?
너는 벤치에 앉아 있는 여성을 아니?

02 The ________ baby is my brother.
그 우는 아기는 내 남동생이다.

03 Look at that ________ sun.
떠오르는 저 태양을 봐라.

04 That ________ bear is cute.
저 춤추는 곰이 귀엽다.

05 She told me an ________ story.
그녀는 내게 놀라운 이야기를 말했다.

06 The man ________ in the pool is my dad.
수영장에서 수영하는 남자는 나의 아빠다.

07 This movie is very ________.
이 영화는 매우 지루하다.

08 The ________ man is my uncle.
그 소리 지르는 남자는 나의 삼촌이다.

09 The boy ________ at me is my son.
나에게 미소를 짓는 소년은 나의 아들이다.

10 She caught a ________ mosquito with her hand.
그녀는 날아가는 모기를 손으로 잡았다.

WORDS
bench 벤치 **baby** 아기 **sun** 태양 **bear** 곰 **cute** 귀여운 **story** 이야기 **pool** 수영장
movie 영화 **uncle** 삼촌 **son** 아들 **caught** 잡다(catch)의 과거형 **mosquito** 모기 **hand** 손

Chapter 10 과거분사

1 과거분사의 의미와 쓰임

과거분사는 '동사+ed'와 '불규칙' 두 가지 형태가 있으며, 현재분사처럼 명사의 앞이나 뒤에 와서 명사를 꾸며주는 형용사 역할과 주어를 보충 설명하는 역할을 합니다. 과거분사는 현재분사와는 다르게 수동적 의미일 때 사용하며 '~되어진', '~되어 있는' 등으로 해석합니다.

falling leaves
떨어지는 잎들

fallen leaves
떨어진 잎들 (낙엽)

2 과거분사의 역할

명사를 앞에서 수식하는 역할	He found his **lost** bag. 그는 잃어버린 가방을 찾았다. I don't like **fried** food. 나는 튀겨진 음식을 좋아하지 않는다.
명사를 뒤에서 수식하는 역할	I need a book **written** in English. 나는 영어로 쓰인 책이 필요하다. I bought a car **made** in Korea. 나는 한국에서 만들어진 자동차를 샀다.
주어를 보충 설명하는 역할 ※ 주어의 동작이나 상태를 나타냄	I was **shocked** at the news. 나는 그 소식에 놀랐다. Julie is **interested** in music. 줄리는 음악에 관심이 있다.

Tips 능동이란 문장의 주어가 직접 어떤 행동을 하고 있음을 나타내는 표현이며 수동은 주어가 어떤 일을 당한다는 의미입니다.
I **love** her. 나는 그녀를 사랑한다. (능동) She **is loved** by me. 그녀는 나에게 사랑받는다. (수동)

3 주의해야 할 분사

감정을 나타내는 분사를 사용할 때 주어가 감정을 만들어내는 대상이면 현재분사, 감정을 느끼는 대상이면 과거분사를 사용합니다.

동사	현재분사 – ~한 감정을 느끼게 하는 [능동의 의미](주어가 사물일 때 사용)	과거분사 – ~한 감정을 느끼는 [수동의 의미](주어가 사람일 때 사용)
bore 지루하게 하다	boring 지루한 The game was **boring**.	bored 지루해 하는 I was **bored** with the game.
shock 놀라게 하다	shocking 충격적인 The news was **shocking**.	shocked 충격을 받은 I was **shocked** at the news.
excite 흥분시키다/신나게 하다	exciting 신나는, 흥미진진한 It was **exciting**.	excited 신이 난 He was **excited**.
interest 흥미[관심]를 갖게 하다	interesting 흥미로운/재미있는 The movie was **interesting**.	interested 관심 있어 하는 Sam was **interested** in music.
surprise 놀라다	surprising 놀라운 The news was **surprising**.	surprised 놀라는 We were **surprised** at the news.

Tips 분사에서 가장 중요한 것은 어느 한 대상이 어떤 동작을 하느냐 혹은 당하느냐를 구분하는 것입니다.

4 불규칙 과거분사 - 불규칙으로 변하는 과거분사는 반드시 외워야 합니다.

동사원형	과거분사	동사원형	과거분사
break 깨다	broken 깨진, 고장 난	steal 훔치다	stolen 훔친, 도둑맞은
write 쓰다	written 쓰인	fall 떨어지다	fallen 떨어진
make 만들다	made 만들어진	lose 잃어버리다	lost 잃어버린
build 건설하다	built 건설된	give 주다	given 주어진
speak 말하다	spoken 말을 하게 하는	send 보내다	sent 보낸
drink 마시다	drunk 술에 취한	hang 걸다	hung 걸린

Tips 과거분사는 대부분의 동사에 -ed 또는 -d를 붙여서 만듭니다.
work 일하다 - work**ed**　　live 살다 - live**d**

Practice 1

Guide 과거분사는 수동적 의미일 때 사용하며 '~되어진', '~되어 있는' 등으로 해석합니다.

1 다음 괄호 안에서 알맞은 것을 고르세요.

01 This book is very (interesting / interested).
이 책은 매우 재미있다.

02 She is (interesting / interested) in classical music.
그녀는 고전음악에 관심이 있다.

03 He found his (losing / lost) dog.
그는 잃어버린 개를 찾았다.

04 The news was very (shocking / shocked).
그 뉴스는 매우 놀랍다.

05 I was (boring / bored) with the movie.
나는 그 영화가 지루했다.

06 The soccer game was (exciting / excited).
그 축구경기는 흥미로웠다.

07 She was (surprising / surprised) at the news.
그녀는 그 뉴스에 놀라워했다.

WORDS

interesting 재미있는　**classical music** 고전음악　**found** 찾다(find)의 과거형　**news** 뉴스
boring 지루한　**movie** 영화　**soccer** 축구　**surprising** 놀라운

주어가 감정을 만들어내는 대상이면 현재분사를 사용합니다.

1 다음 영어를 우리말로 쓰세요.

01 fallen leaves → 낙엽들

02 a stolen car → ____________

03 the invited people → ____________

04 a drunk driver → ____________

05 fried chicken → ____________

06 a boiled egg → ____________

07 the book written in English → ____________

08 the car made in Korea → ____________

09 the building built on the hill → ____________

10 a burned house → ____________

11 eyes filled with tears → ____________

12 the street covered with snow → ____________

13 a baked potato → ____________

14 dried fish → ____________

15 boiled water → ____________

WORDS

fallen 떨어진 **leaf** 나뭇잎 **stolen** 훔친 **people** 사람들 **drunk** 술 취한 **driver** 운전자 **fried** 튀긴 **boiled** 삶은 **hill** 언덕 **tear** 눈물 **street** 거리 **covered** 덮인 **snow** 눈 **dried** 건조한 **fish** 생선

주어가 감정을 느끼는 대상이면 과거분사를 사용합니다.

1 다음 주어진 단어를 이용하여 문장을 완성하세요.

01 fall
The roof is covered with ___fallen___ leaves.
Look at the ______ leaves.

02 use
I bought a ______ car for my son.
Do you know the boy ______ the computer?

03 excite
She was ______ at the game.
The game was very ______.

04 surprise
She was ______ at the news about him.
I have some ______ news.

05 bore
The movie was ______.
He was ______ with the movie.

2 다음 영어를 우리말로 쓰세요.

01 She heard very shocking news.
→ 그녀는 매우 놀라운 소식을 들었다.

02 She found her lost bag.
→ ______

03 The room is filled with flowers.
→ ______

04 I watched an interesting movie last night.
→ ______

05 Do you like fried food?
→ ______

WORDS
fall 떨어지다 roof 지붕 use 사용하다 son 아들 game 경기 news 뉴스 bore 지루하게 하다
movie 영화 hear 듣다 be filled with ~으로 가득 차다 flower 꽃 fried 튀긴 food 음식

Chapter 11 수동태 I

수동태의 의미와 쓰임

주어가 동사의 행동을 직접 하는 것을 표현한 문장 형태를 '능동태'라고 하며, 주어가 행위를 하는 것이 아닌 당하는 입장을 나타내는 문장 형태를 '수동태'라고 부릅니다. 예를 들어 '그가 유리창을 깼다.'는 능동을 의미하고 '유리창이 그에 의해 깨졌다.'는 수동을 의미합니다.

능동태	He **broke** the window. 그가 유리창을 깼다.
수동태	The window **was broken** by him. 유리창이 그에 의해 깨졌다.

능동태 문장을 수동태로 만들기

수동태는 [주어+be동사+과거분사+(by (대)명사)]의 형태를 취합니다.

(1) 능동태의 목적어를 찾아 수동태의 주어로 씁니다.

(2) 시제가 현재인지 과거인지 파악합니다.

(3) 능동태의 동사를 과거분사 형태로 바꾸고, 그 앞에 주어와 시제에 맞는 be동사를 씁니다.

(4) 능동태의 주어를 [by+목적격] 형태로 바꾸어 씁니다.

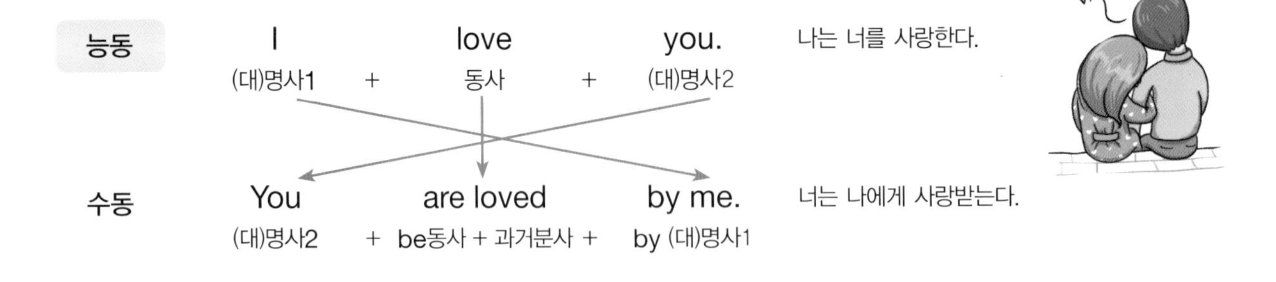

현재시제	Susie **uses** the computer. 수지는 그 컴퓨터를 사용한다. ➞ The computer **is used by** Susie. 그 컴퓨터는 수지에 의해 사용된다. ※ 동사의 시제가 현재이므로 수동태의 be동사는 is가 되어야 합니다.
과거시제	She **used** the computer yesterday. 그녀는 어제 그 컴퓨터를 사용했다. ➞ The computer **was used by** her yesterday. 그 컴퓨터는 어제 그녀에 의해 사용되었다. ※ 동사의 시제가 과거이므로 수동태의 be동사는 was가 되어야 합니다.

자주 사용하는 불규칙 과거분사

현재시제	과거시제	과거분사	현재시제	과거시제	과거분사
steal 훔치다	stole	stolen	buy 사다	bought	bought
write 쓰다	wrote	written	teach 가르치다	taught	taught
lose 잃다	lost	lost	eat 먹다	ate	eaten

give 주다	gave	given	break 깨다	broke	broken
drive 운전하다	drove	driven	speak 말하다	spoke	spoken
build 만들다	built	built	take [탈것을] 이용하다, [남을] 데리고 가다	took	taken
sing 노래하다	sang	sung	forget 잊다	forgot	forgotten
drink 마시다	drank	drunk	see 보다	saw	seen

주어가 행위를 하는 것이 아닌 당하는 문장 형태를 수동태라고 부릅니다.

1 다음 문장이 능동태인지 수동태인지 동그라미 하세요.

01 Harry Potter was written by Joan Rowling. 수동태 / 능동태

02 The telephone was invented by Bell. 수동태 / 능동태

03 The window was broken by Tom. 수동태 / 능동태

04 He lost his gloves. 수동태 / 능동태

05 The bicycle was fixed by him. 수동태 / 능동태

06 Alice does her homework after school. 수동태 / 능동태

07 James is helped by many friends. 수동태 / 능동태

08 My dad drives his car slowly. 수동태 / 능동태

09 She wrote this letter. 수동태 / 능동태

10 America was discovered by Columbus. 수동태 / 능동태

WORDS

written 쓰인 **telephone** 전화기 **invent** 발명하다 **lose** 잃어버리다 **glove** 장갑 **bicycle** 자전거
fix 고치다 **homework** 숙제 **drive** 운전하다 **slowly** 천천히 **letter** 편지 **discover** 발견하다

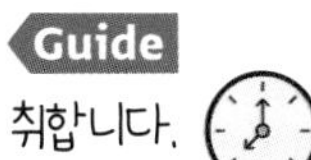

수동태는 [주어+be동사+과거분사+(by (대)명사)]의 형태를 취합니다.

1 다음 문장을 수동태로 바꿔 쓸 때 빈칸에 알맞은 말을 쓰세요.

01 I cleaned the room. 나는 그 방을 청소했다.

→ The room was cleaned by me.

02 The girl loves him. 그 소녀는 그를 사랑한다.

→ __________ is loved by __________.

03 We built the house. 우리는 그 집을 지었다.

→ __________ was built by __________.

04 Sally borrowed the book. 샐리는 그 책을 빌렸다.

→ __________ was borrowed by __________.

05 Cathy broke the vase. 캐시는 그 꽃병을 깨뜨렸다.

→ __________ was broken by __________.

06 Sam walks the dog every day. 샘은 매일 개를 산책시킨다.

→ __________ is walked by __________ every day.

07 Alice moved the box. 앨리스는 그 상자를 옮겼다.

→ __________ was moved by __________.

08 She stole my bag. 그녀는 내 가방을 훔쳤다.

→ __________ was stolen by __________.

09 Jones helped us yesterday. 존스는 어제 우리를 도왔다.

→ __________ were helped by __________ yesterday.

10 They baked the cookies. 그들은 쿠키를 구웠다.

→ __________ were baked by __________.

11 John fixed that car. 존은 저 자동차를 고쳤다.

→ __________ was fixed by __________.

12 They made the pizza. 그들은 피자를 만들었다.

→ __________ was made by __________.

WORDS

clean 청소하다 **love** 사랑하다 **built** 만들다(build)의 과거형 **house** 집 **borrow** 빌리다 **vase** 꽃병 **walk** 산책시키다 **move** 옮기다 **stole** 훔치다(steal)의 과거형 **yesterday** 어제 **pizza** 피자

Guide
자주 사용하는 불규칙 과거분사는 외워야 합니다.

1 다음 문장을 수동태 문장으로 바꾸세요.

01 He painted that picture. 그는 저 그림을 칠했다.

→ That picture was painted by him.

02 We use the computer. 우리는 그 컴퓨터를 사용한다.

→

03 She wrote this novel. 그녀는 이 소설을 썼다.

→

04 My dad washed the car. 나의 아빠는 세차를 하셨다.

→

05 Mike sent this letter. 마이크는 이 편지를 보냈다.

→

06 Tom hit the ball. 톰은 그 공을 쳤다.

→

07 He changed my plan. 그는 내 계획을 바꿨다.

→

08 I broke these cups. 나는 이 컵들을 깼다.

→

09 My sister bought this new bicycle. 나의 누나는 이 새 자전거를 샀다.

→

10 She cut the cake. 그녀는 케이크를 잘랐다.

→

11 She parked her car in the parking lot. 그녀는 주차장에 그녀의 차를 주차했다.

→

12 He found his dog. 그는 그의 개를 찾았다.

→

WORDS

picture 그림 **use** 사용하다 **novel** 소설 **wash the car** 세차하다 **send** 보내다 **letter** 편지 **hit** 치다 **change** 바꾸다 **plan** 계획 **cut** 자르다 **park** 주차하다 **parking lot** 주차장

수동태의 부정문과 의문문

부정문 수동태 만들기

부정문 수동태는 [주어+be동사+not+과거분사+by (대)명사]의 형태를 가집니다.

현재시제	We **don't use** the computer. 우리는 그 컴퓨터를 사용하지 않는다. → The computer **isn't used** by us. 그 컴퓨터는 우리에 의해 사용되지 않는다.
과거시제	Sam **didn't use** the pencils. 샘은 그 연필들을 사용하지 않았다. → The pencils **weren't used** by Sam. 그 연필들은 샘에 의해 사용되지 않았다.

Tips

	능동태 동사 형태			수동태 동사 형태	
현재시제	do not [don't] does not [doesn't]	+ 동사원형	→	am not are not [aren't] is not [isn't]	+ 과거분사
과거시제	did not [didn't]	+ 동사원형	→	was not [wasn't] were not [weren't]	+ 과거분사

② 의문문 수동태 만들기

의문문 수동태는 [Be동사+주어+과거분사+by (대)명사]의 형태를 가지며 문장 끝에 물음표를 붙입니다.

능동 Does she make the cake? 그녀는 그 케이크를 만드니?

수동 Is the cake made by her? 그 케이크는 그녀에 의해 만들어지니?

(1) 목적어를 찾습니다. → the cake

(2) 주어가 될 목적어의 수와 동사시제에 맞춰 be동사를 문장 앞에 씁니다. → Is the cake

(3) 동사원형을 과거분사로 씁니다. → Is the cake made

(4) 능동태의 주어를 [by+목적격] 형태로 바꾸어 씁니다. → Is the cake made by her?

현재시제	Do you use that computer? 너는 저 컴퓨터를 사용하니? → **Is** that computer **used** by you? 저 컴퓨터는 너에 의해 사용되니?
과거시제	Did he use that computer? 그는 저 컴퓨터를 사용했니? → **Was** that computer **used** by him? 저 컴퓨터는 그에 의해 사용됐니?

Guide

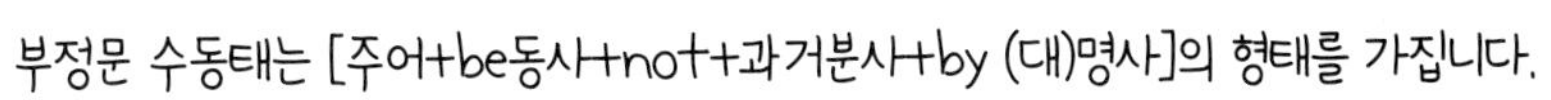

1 다음 문장을 부정문 수동태 문장으로 바꾸세요.

01 I don't clean the room. 나는 그 방을 청소하지 않는다.

→ The room isn't[is not] cleaned by me.

02 The girl didn't love him. 그 소녀는 그를 사랑하지 않았다.

→ ______

03 We didn't build the house. 우리는 그 집을 짓지 않았다.

→ ______

04 Sally didn't read the book. 샐리는 그 책을 읽지 않았다.

→ ______

05 Mike didn't break the window. 마이크는 그 창문을 깨지 않았다.

→ ______

06 Sam doesn't walk the dog every day. 샘은 매일 그 개를 산책시키지 않는다.

→ ______

07 Alice didn't move the box. 앨리스는 그 상자를 옮기지 않았다.

→ ______

08 She didn't write the letter. 그녀는 그 편지를 쓰지 않았다.

→ ______

09 They didn't help us yesterday. 그들은 어제 우리를 돕지 않았다.

→ ______

10 They didn't bake the cookies. 그들은 그 쿠키를 굽지 않았다.

→ ______

11 John didn't fix that bicycle. 존은 저 자전거를 고치지 않았다.

→ ______

12 They didn't make the pizza. 그들은 그 피자를 만들지 않았다.

→ ______

WORDS

clean 청소하다 love 사랑하다 build 짓다 break 깨다 window 창문 write 쓰다 letter 편지 help 돕다 yesterday 어제 bake 굽다 fix 고치다 bicycle 자전거 pizza 피자

의문문 수동태는 [Be동사+주어+과거분사+by (대)명사?]의 형태입니다.

1 다음 문장을 의문문 수동태 문장으로 바꾸세요.

01 Did he use that computer? 그는 저 컴퓨터를 사용했니?

→ Was that computer used by him?

02 Did you fix this TV? 너는 이 TV를 고쳤지?

→ ______________________________

03 Did she change the plan? 그녀는 그 계획을 바꿨니?

→ ______________________________

04 Did you invite them to the party? 너는 파티에 그들을 초대했니?

→ ______________________________

05 Did he buy that watch? 그는 저 시계를 샀니?

→ ______________________________

06 Did Alice use the phone? 앨리스는 그 전화기를 사용했니?

→ ______________________________

07 Did she borrow these books? 그녀는 이 책들을 빌렸니?

→ ______________________________

08 Did he paint the door? 그는 그 문을 칠했니?

→ ______________________________

09 Did they prepare this party? 그들이 이 파티를 준비했니?

→ ______________________________

10 Did he check the packages? 그는 그 소포를 확인했니?

→ ______________________________

11 Did Julie make this cake? 줄리가 이 케이크를 만들었니?

→ ______________________________

12 Did Cathy find your bag? 캐시가 네 가방을 찾았니?

→ ______________________________

WORDS

use 사용하다 fix 고치다 change 바꾸다 plan 계획 invite 초대하다 phone 전화기 borrow 빌리다 paint 칠하다 prepare 준비하다 check 확인하다 package 소포 cake 케이크

수동태에서는 능동태의 주어를 [by+목적격] 형태로 바꾸어 씁니다.

1 다음 우리말과 일치하도록 주어진 단어를 이용하여 문장을 완성하세요.

01 그 책은 어린 아이들에게 읽히지 않는다. (read)
→ The book ____is not[isn't] read____ by young children.

02 이 책은 그녀에 의해 쓰이지 않았다. (write)
→ This book ________________ by her.

03 그 책은 내가 책상 위에 올려놓지 않았다. (put)
→ The book ________________ on the desk by me.

04 이 영화는 그녀가 감독을 하지 않았다. (direct)
→ This movie ________________ by her.

05 그 벽은 우리에 의해 칠해지지 않았다. (paint)
→ The wall ________________ by us.

06 너는 그에게 도움을 받았니? (help)
→ ____________ you ____________ by him?

07 그 다리는 지난해 만들어졌니? (build)
→ ____________ the bridge ____________ last year?

08 그 공은 네가 쳤니? (hit)
→ ____________ the ball ____________ by you?

09 그녀는 그녀의 학생들에게 존경을 받았니? (respect)
→ ____________ she ____________ by her students?

10 그들은 낙석에 부상당했니? (injure)
→ ____________ they ____________ by the falling rocks?

11 그 쿠키들은 그녀가 구웠니? (bake)
→ ____________ the cookies ____________ by her?

12 그 도둑은 경찰에게 붙잡혔니? (catch)
→ ____________ the thief ____________ by the police?

WORDS
children 아이들 **write** 쓰다 **put** 놓다 **direct** 감독하다 **paint** 칠하다 **build** 만들다
bridge 다리 **hit** 치다 **respect** 존경하다 **injure** 다치다 **rock** 바위 **catch** 잡다 **thief** 도둑

Review Test 3

Chapter 09-12

공부한 날 : 부모님 확인 :

01> 다음 중 현재분사의 형태가 바르지 않은 것을 고르세요.

① think - thinking ② run - runing
③ live - living ④ snow - snowing
⑤ watch - watching

02> 다음 중 과거분사의 형태가 바르지 않은 것을 고르세요.

① build - built ② keep - kept
③ catch - catched ④ read - read
⑤ move - moved

【03~04】 다음 중 빈칸에 알맞은 것을 고르세요.

03> The girl ________ the violin is my sister.

① play ② plays
③ playing ④ played
⑤ to play

04> The baseball game was ________.

① excite ② excited
③ exciting ④ to excite
⑤ to exciting

05> 다음 중 밑줄 친 부분의 쓰임이 나머지와 다른 것을 고르세요.

① Cathy likes singing.
② I'm scared of the barking dog.
③ That dancing bear is cute.
④ Do you know the running man?
⑤ The sleeping baby is lovable.

【06~08】 다음 중 빈칸에 알맞은 것을 고르세요.

06> He found his ________ dog.

① lose ② loses
③ losing ④ lost
⑤ losted

07> Can I have some ________ potatoes?

① bake ② baking
③ bakes ④ baked
⑤ to bake

08> The mountain is ________ with snow.

① cover ② covers
③ covered ④ covering
⑤ to cover

【09~11】 다음 그림을 보고 주어진 단어를 이용하여 빈칸에 쓰세요.

09› fall

→ ______________ leaves (낙엽들)

10› read

→ a boy ______________ a book
(책을 읽고 있는 소년)

11› fry

→ ______________ chicken (튀긴 닭)

12› 다음 중 빈칸에 알맞은 말이 순서대로 짝지어진 것을 고르세요.

- She told me __________ stories.
- Are you __________ in Korean culture?

① interesting – interested
② interested - interested
③ interesting – interesting
④ interested - interesting
⑤ interests - interesting

13› 다음 중 수동태 문장을 고르세요.

① Sam asked me a question.
② James bought a new computer.
③ The thief was caught by the police.
④ He sent her some flowers.
⑤ He is reading a magazine.

【14~16】 다음 중 빈칸에 알맞은 것을 고르세요.

14› The telephone __________ by Bell in 1876.

① is invent ② is inventing
③ is invented ④ was inventing
⑤ was invented

15› The windows __________ by Paul.

① breaks ② broken
③ was broken ④ were broke
⑤ were broken

16› English __________ in Canada.

① speak ② spoke
③ is speaking ④ was speaking
⑤ is spoken

17> 다음 중 보기의 문장을 수동태로 바르게 바꿔 쓴 것을 고르세요.

David did not paint the picture.

① David was not painting the picture.
② David was not painted the picture.
③ The picture did not painted by David.
④ The picture was not painted by David.
⑤ The picture is not painted by David.

【18~19】 다음 중 주어진 단어를 이용하여 빈칸에 알맞은 말을 쓰세요.

18> make

The pizza ________ ________ by her yesterday.

→ ____________________

19> write

The postcards ________ ________ by Amy last night.

→ ____________________

【20~21】 다음 중 보기의 문장을 수동태로 바르게 바꿔 쓴 것을 고르세요.

20> Did you use that computer?

① Did you used that computer?
② Is that computer use by you?
③ Was that computer use by you?
④ Is that computer used by you?
⑤ Was that computer used by you?

21> Did you do this?

① Are you done this?
② Was you done this?
③ Were you done this?
④ Was this done by you?
⑤ Were this done by you?

22> 다음 중 보기의 문장과 의미가 같은 것을 고르세요.

That bridge wasn't built by them in 2018.

① They weren't built that bridge in 2018.
② They wasn't built that bridge in 2018.
③ They didn't build that bridge in 2018.
④ They didn't built that bridge in 2018.
⑤ They don't build that bridge in 2018.

23> 다음 중 수동태의 문장이 <u>어색한</u> 것을 고르세요.

① These cakes were made by Cindy.
② She was given beautiful flowers by him.
③ The table was moved by Ted.
④ The picture was took by Peter.
⑤ This music was created by Beethoven.

【24~25】 다음 그림을 보고 밑줄 친 부분을 바르게 고치세요.

24>

She was <u>surprising</u> at the news.

→ ______________________

25>

The roof is <u>cover</u> with snow.

→ ______________________

【26~27】 다음 문장을 수동태로 바꾸세요.

26> A lot of people use computers.

→ ______________________

____

27> Did he buy the cake?

→ ______________________

____

【28~29】 다음 우리말과 일치하도록 보기 단어를 배열하여 문장을 완성하세요.

28> 그 자전거는 나의 아빠에 의해 수리되었다.
(my dad / the bicycle / was / fixed / by)

→ ______________________

____

29> 이 책은 그녀에 의해 쓰여지지 않았다.
(was / not / this book / written / her / by)

→ ______________________

____

30> 다음 영어를 우리말로 쓰세요.

The man swimming in the pool is my dad.

→ ______________________

____

조동사 - would like to / had better

조동사의 의미와 쓰임

조동사란 '동사를 도와준다'는 의미로 홀로 쓰이지 않고 반드시 다른 동사와 함께 사용합니다. 조동사를 사용하는 이유는 일반동사만 가지고는 표현하는 데 한계가 있을 때입니다. 이때 조동사는 일반동사 앞에 와야 하며, 일반동사는 동사원형의 형태가 되어야 합니다.

I play the violin. 나는 바이올린 연주를 한다.

I **would like to** play the violin. 나는 바이올린 연주를 하고 싶다.

would like to

would like to는 소망을 의미하는 '~하고 싶다'라는 표현으로 세 단어를 함께 사용합니다.

would like to + 동사원형 (~하고 싶다)	I **would like to** drink iced tea. 나는 아이스티를 마시고 싶다. I **would like to** have pizza for lunch. 나는 점심으로 피자를 먹고 싶다.

Tips Would like to를 줄여서 'd like to로 쓸 수 있습니다.
I'd like to meet her. 나는 그녀를 만나고 싶다.

would like to를 이용한 의문문

상대방에게 정중하게 제안할 때에도 would like to를 이용할 수 있습니다. 이때에는 would만 문장 앞으로 이동합니다.

Would you like to + 동사원형 ~? (~하시겠어요?)	A: **Would** you **like to** have dinner with me? 나와 저녁식사 함께 하시겠어요? B: Yes, I **would**. / **I'd like to**, but I can't. 좋아요. (승낙) / 그러고 싶지만, 안 되겠네요. (거절)

Tips Would you like to ~? 질문에 답변하기
A: **Would** you **like to** help me? 저를 도와주시겠어요?
B: Yes, I **would**. 좋아요. (승낙) / **I'd like to**, but I can't. 그러고 싶지만, 안 되겠네요. (거절)

would like+명사

would like 다음에 'to+동사원형' 대신에 '명사'가 와서 '~을 원하다'라는 의미로 사용할 수 있습니다. 또한 상대방에게 정중하게 제안할 때에도 사용할 수 있습니다.

would like + 명사 (~을 원하다)	I **would like** orange juice. 나는 오렌지 주스를 원한다. = I would like to drink orange juice.
Would you like + 명사 ~? (~하시겠어요?)	**Would you like** a cup of coffee? 커피 한 잔 하시겠어요? = Would you like to drink a cup of coffee? 

had better

[had better+동사원형]은 충고나 조언을 할 때 쓰는 표현으로 '~하는 것이 좋겠다'라는 의미이며, [had better not+동사원형]은 '~하지 않는 게 좋겠다'라는 의미입니다.

had better + 동사원형 (~하는 게 좋겠다)	You **had better** go home now. 너는 지금 집에 가는 게 좋겠다.
had better not + 동사원형 (~하지 않는 게 좋겠다)	You have a cold. You **had better not** go fishing. 너는 감기에 걸렸다. 너는 낚시하러 가지 않는 게 좋겠다.

Tips had better를 줄여서 'd better로 쓸 수 있습니다.
You'**d better** take the subway. 너는 지하철을 타는 것이 좋겠다.
You'**d better** hurry up. 너는 서두르는 게 좋겠다.

Guide 조동사는 반드시 다른 동사와 함께 사용합니다.

1 다음 우리말과 일치하도록 괄호 안에서 알맞은 것을 고르세요.

01 I would like (order / to order) this pizza.
나는 이 피자를 주문하고 싶다.

02 Would you like (some tea / to some tea)?
차 마시겠습니까?

03 You had better (take / to take) a taxi.
너는 택시를 타는 게 좋겠다.

04 You'd (better not / not better) be late again.
너는 다시는 늦지 않는 것이 좋겠다.

05 I would like (have / to have) dinner with you.
나는 당신과 저녁을 먹고 싶다.

06 I don't feel well. I had better (not go / go not) shopping today.
나는 몸이 좋지 않다. 나는 오늘 쇼핑하러 가지 않는 것이 좋겠다.

07 You had better (stay / stays) home until tomorrow.
너는 내일까지 집에 머무는 게 좋겠다.

08 Would you (like to / like) wait here?
여기서 기다려 주시겠어요?

WORDS

order 주문하다 **tea** 차 **had better** ~하는 게 좋겠다 **again** 다시 **dinner** 저녁(식사) **today** 오늘 **until** ~까지 **tomorrow** 내일 **wait** 기다리다 **here** 여기

[would like to 동사원형]과 [would like 명사] 형태로 사용합니다.

1 다음 문장에서 잘못된 부분을 고쳐 다시 쓰세요.

01 Would you like order now? 지금 주문하시겠습니까?
→ Would you like to order now?

02 I'd like to knowing more about you. 나는 너에 대해 더 알고 싶다.
→ ______

03 You had better goes there. 너는 거기 가는 게 좋겠다.
→ ______

04 He had not better see her again. 그는 그녀를 다시 보지 않는 게 좋겠다.
→ ______

05 Would you like to some coffee? 커피를 좀 드시겠어요?
→ ______

2 다음 빈칸에 **had better**와 **had better not** 중 알맞은 것을 쓰세요.

01 You ___had better___ stay here until the rain stops.

02 You look tired. You ______ stay home today.

03 Sam is a liar. You ______ believe him.

04 You ______ stop smoking. It's not good for your health.

05 You ______ go out tonight because another typhoon is coming.

06 You ______ take an umbrella. It's going to rain.

07 You ______ drink the tea now. It's too hot.

WORDS

now 지금 **know** 알다 **about** ~에 대해 **again** 다시 **stay** 머무르다 **rain** 비 **tired** 피곤한 **liar** 거짓말쟁이 **believe** 믿다 **smoking** 흡연 **health** 건강 **typhoon** 태풍 **umbrella** 우산

Practice 3

Guide

[had better+동사원형]은 '~하는 게 좋겠다'라는 의미입니다.

1 다음 우리말과 일치하도록 주어진 단어를 알맞게 배열하세요.

01 쿠키 좀 드시겠어요? (you / like / some / would / cookies)

→ Would you like some cookies?

02 난 너와 저녁을 먹고 싶다. (have / dinner / would / like to / with you)

→ I ______________________.

03 저랑 점심 같이 하시겠습니까? (lunch / have / would / like to / you)

→ ______________________ with me?

04 나는 방을 바꾸고 싶다. (would / change / like to / my room)

→ I ______________________.

05 그는 오늘 밤 늦게 일하지 않는 게 좋겠다. (had better / he / not / late / work)

→ ______________________ tonight.

06 너는 오늘 밤 외출하지 않는 것이 좋겠다. (tonight / had better / go out / not)

→ You ______________________.

07 나는 당신을 다시 만나고 싶습니다. (meet / you / would like / to / again)

→ I ______________________.

08 너는 건강을 위해 운동을 하는 게 좋겠다. (exercise / for / your health / had better)

→ You ______________________.

09 나는 점심으로 피자를 원한다. (would like / some / for lunch / pizza)

→ I ______________________.

10 내 생일 파티에 오시겠습니까? (would / to come / you / like / to)

→ ______________________ my birthday party?

11 너는 지금 집에 가는 게 좋겠다. (had better / home / go / now)

→ You ______________________.

12 너는 그에게 진실을 말하는 것이 좋겠다. (him / had better / tell / the truth)

→ You ______________________.

WORDS

cookie 쿠키 **with** ~와 함께 **lunch** 점심(식사) **change** 바꾸다 **room** 방 **tonight** 오늘 밤 **go out** 외출하다 **exercise** 운동하다 **health** 건강 **birthday** 생일 **tell** 말하다 **truth** 진실

Chapter 14 [의문사+조동사]로 묻고 대답하기

의문사 + would like to

의문사가 would like to와 함께 의문문을 만들 때에는 [의문사+would+주어+like to+동사원형 ~?] 형태가 되어야 합니다.

What (무엇을)		A: **What would you like to** buy? 무엇을 사려고 하나요? B: I'd like to buy some butter. 버터를 좀 사려고 해요.
Who (누구를)		A: **Who would you like to** meet? 누구를 만나고 싶나요? B: I'd like to meet Mr. James. 제임스 씨를 만나고 싶어요.
When (언제)	+would+주어 +like to +동사원형	A: **When would you like to** have lunch? 언제 점심을 먹으려 하나요? B: I'd like to have lunch at 1 o'clock. 1시에 점심을 먹으려고 해요.
Where (어디서)		A: **Where would you like to** go? 어디에 가고 싶나요? B: I'd like to go to the museum. 박물관에 가고 싶어요.
How (어떻게)		A: **How would you like to** pay for that? 결제는 어떻게 해 드릴까요? B: I'd like to pay in cash [by credit card]. 현찰[신용카드]로 지불할게요.

Tips 의문사 When은 What time으로 바꿔서 표현할 수 있습니다.
When would you like to have lunch? 언제 점심을 먹으려고 하나요?
= **What time** would you like to have lunch? 몇 시에 점심을 먹으려고 하나요?

의문사 + can

의문사가 조동사 can과 함께 의문문을 만들 때에는 [의문사+can+주어 ~?]의 형태가 됩니다.

What (무엇을)		A: **What can** you make with eggs? 달걀로 무엇을 만들 수 있니? B: I can make scrambled eggs. 스크램블 에그를 만들 수 있어.
When (언제)	+can+주어 +동사원형	A: **When can** you start working? 언제 일을 시작할 수 있니? B: I can start from next month. 다음 달부터 할 수 있어.
Where (어디서)		A: **Where can** I buy the concert ticket? 음악회 표를 어디서 살 수 있니? B: You can buy the ticket on the Internet. 인터넷에서 구매할 수 있어.
How (어떻게)		A: **How can** I help you? 어떻게 도와드릴까요? B: I'm looking for a hat. 모자를 사려고 해요.

Tips 의문사가 주어 역할을 하는 경우
주어 역할을 하는 의문사가 조동사와 함께 의문문을 만들 때에는 [의문사+조동사+동사원형 ~?]의 순서가 됩니다.
Who can help me? 누가 나를 도와줄 수 있니?
A: **Who will attend** the meeting? 누가 회의에 참석할 거니?
B: Smith will attend the meeting. 스미스가 참석할 거야.

[의문사+would+주어+like to+동사원형 ~?] 형태가 되어야 합니다.

1 다음 우리말과 일치하도록 괄호 안에서 알맞은 것을 고르세요.

01 How (would / can) you like to help them?
어떻게 그들을 돕고 싶으세요?

02 (What / When) time would you like to have dinner?
저녁식사를 몇 시로 하겠습니까?

03 (Where / What) would you like to sit?
어디에 앉고 싶으세요?

04 Where would you (like / like to) go this evening?
오늘 저녁 어디로 가실래요?

05 What (would / will) you like to have for dinner?
저녁으로 뭘 드시겠어요?

06 Where (can / would) I buy toothbrushes?
칫솔은 어디서 살 수 있니?

07 (What / How) can you do with a smartphone?
스마트폰으로 무엇을 할 수 있니?

08 (How / Who) would you like to celebrate your birthday?
생일 기념을 어떻게 하길 원하세요?

09 When can she (go / like to go) back to school?
그녀는 언제 학교에 다시 갈 수 있니?

10 When (would / can) you like to depart?
언제 출발하실 건가요?

11 Who (will / will you) take us to the airport?
누가 우리를 공항에 데려다 줄 거니?

12 (Who / Where) would you like to speak to?
누구와 통화하시겠어요?

WORDS

help 돕다 **time** 시간 **sit** 앉다 **evening** 저녁 **toothbrush** 칫솔 **smartphone** 스마트폰
celebrate 축하하다 **birthday** 생일 **depart** 출발하다 **airport** 공항 **speak** 말하다

조동사 can 의문문을 만들 때에는 [의문사+can+주어 ~?]의 형태가 됩니다.

1 다음 영어를 우리말로 쓰세요.

01 What would you like to buy?
→ 무엇을 사고 싶으세요?

02 How would you like to send it?
→ ______

03 When would you like to eat dinner?
→ ______

04 What time can you pick me up?
→ ______

05 Where would you like to visit?
→ ______

06 What would you like to do tomorrow?
→ ______

07 Where can I get a taxi?
→ ______

08 When can we start traveling again?
→ ______

09 What can I do for you?
→ ______

10 Who would you like to invite?
→ ______

11 How would you like to go there?
→ ______

12 Who can speak Korean?
→ ______

WORDS
buy 사다 send 보내다 eat 먹다 pick up 데려오다 visit 방문하다 tomorrow 내일
start 시작하다 traveling 여행하기 again 다시 invite 초대하다 speak 말하다 Korean 한국어

Practice 3

Guide
주어 역할을 하는 의문사는 [의문사+조동사+동사원형 ~?]의 순서가 됩니다.

1 다음 대화에 어울리는 질문이나 답변에 ○표 하세요.

01 A: Who can speak English well?
B: (○) James can speak English well. ( ) James can learn English.

02 A: How would you like to go there?
B: ( ) I'd like to go there by train. ( ) I'd like to go there tomorrow.

03 A: What would you like to do after school?
B: ( ) I can fix the bike. ( ) I'd like to go shopping.

04 A: Where would you like to go today?
B: ( ) I'd like to go there by train. ( ) I'd like to go to the zoo.

05 A: ( ) Who would you like to speak to? ( ) Where would you like to go?
B: I'd like to speak to James.

06 A: ( ) What can you make with flowers? ( ) Where can I buy some flowers?
B: There is a flower shop on the second floor.

07 A: What time can I have breakfast?
B: ( ) You can have breakfast at 8. ( ) I'd like to eat scrambled eggs.

08 A: ( ) Who will take care of the baby? ( ) Who can help you?
B: I will.

09 A: When can I see you again?
B: ( ) I'd like to visit Korea. ( ) I will be back next Sunday.

10 A: How would you like to pay for that?
B: ( ) I'd like to pay in cash. ( ) I'd like to buy some bread.

11 A: What would you like to eat for lunch?
B: ( ) I eat lunch at noon. ( ) I'd like to have pizza.

12 A: ( ) How can I help you? ( ) Who will help me?
B: I'm looking for sunglasses.

WORDS
well 잘 train 기차 today 오늘 zoo 동물원 flower shop 꽃집 scrambled eggs 스크램블 에그 take care of ~을 돌보다 baby 아기 pay 지불하다 cash 현금 noon 정오 sunglasses 선글라스

Chapter 15 전치사 Ⅱ

우리가 지금까지 배웠던 방향 전치사, 시간 전치사, 위치 전치사 외에 다양한 전치사가 있으며, 전치사도 상황에 따라 여러 의미를 가지고 있습니다.

about	+ 사물	~에 관하여	I have a question **about** it. 나는 그것에 관해 질문이 있다.
	+ 숫자	대략	There are **about** 20 people in the gym. 체육관에 약 20명의 사람이 있다.
with	+ 사람	~과 함께	He had dinner **with** John. 그는 존과 함께 저녁을 먹었다.
	+ 사물	~을 가지고 ~을 이용해서	Cut it **with** the knife. 칼을 가지고 그것을 잘라라.
without	~ 없이		We can't live **without** water. 우리는 물 없이 살 수 없다.
like	~처럼, ~와 닮아		The boy dances **like** a monkey. 그 소년은 원숭이처럼 춤춘다. She is **like** her mother. 그녀는 그녀의 어머니를 닮았다.
during	~ 동안에 (특정 기간)		I studied English **during** the vacation. 나는 방학 동안 영어를 공부했다.
for	+ 사람	~을 위해	This present is **for** you. 이 선물은 너를 위한 것이다.
	+ 시간	~ 동안	I studied English **for** two hours. 나는 2시간 동안 영어를 공부했다.
by	+ 시간	~까지	You must return it **by** Monday. 너는 월요일까지 그것을 반납해야 한다.
	+ 사람/ 사물	~ 곁에	He is standing **by** Jane. 그는 제인 옆에 서 있다.
between	~ 사이에서		She sat **between** Jane and me. 그녀는 제인과 나 사이에 앉았다.
among	~ 사이에서 / 중에서 (3명 이상)		Sam is the tallest **among** them. 샘은 그들 중에서 가장 키가 크다.

[with+사람]은 '~과 함께', [with+사물]은 '~을 가지고'의 의미입니다.

1 다음 우리말과 일치하도록 괄호 안에서 알맞은 것을 고르세요.

01 What can I do (for / with) you?
무엇을 도와 드릴까요?

02 This is a book (to / about) Korean war.
이것은 한국 전쟁에 관한 책이다.

03 My brother sometimes talks to me (like / for) my father.
나의 형은 가끔 아버지처럼 나에게 말한다.

04 I played baseball (with / without) my friends.
나는 친구들과 함께 야구를 했다.

05 Michelle is the tallest (between / among) her friends.
미쉘은 친구들 중에서 가장 키가 크다.

06 We can't win the game (with / without) you.
우리는 네가 없으면 그 경기를 이길 수 없다.

07 He practiced the piano (during / for) two hours.
그는 피아노 연습을 두 시간 동안 했다.

08 Don't play (with / for) the knife.
칼은 가지고 놀지 마라.

09 He can swim (like / about) a fish.
그는 물고기처럼 수영할 수 있다.

10 Ted took a nap (for / during) lunch.
테드는 점심시간 동안에 낮잠을 잤다.

11 There are (for / about) 30 passengers on the bus.
버스에 약 30명의 승객이 있다.

12 She will finish her homework (by / among) Saturday.
그녀는 토요일까지 숙제를 마칠 것이다.

WORDS

war 전쟁 **sometimes** 때때로 **without** ~ 없이 **between** ~ 사이에 **among** (셋 이상) ~ 사이에 **game** 경기 **practice** 연습하다 **during** ~ 동안 **hour** 시간 **knife** 칼 **nap** 낮잠 **passenger** 승객

Guide

[for+사람]은 '~을 위해', [for+시간]은 '~ 동안'의 의미입니다. 

1 다음 우리말과 일치하도록 보기에서 알맞은 전치사를 골라 쓰세요.

among by for with about
during like about without between

01 You can choose one ___among___ the five pencils.
너는 다섯 개의 연필 중 하나를 고를 수 있다.

02 I don't want to work ____________ him.
나는 그를 위해서 일하고 싶지 않다.

03 Did you hear the news ____________ the earthquake?
너는 지진에 관한 뉴스 들었니?

04 You have to return the book ____________ next Monday.
너는 다음 주 월요일까지 책을 반납해야 한다.

05 She is living ____________ her parents.
그녀는 부모님과 함께 살고 있다.

06 There is a river ____________ the two cities.
두 도시 사이에 강이 있다.

07 Don't act ____________ a fool.
바보처럼 행동하지 마라.

08 There are ____________ 20 apples in the box.
상자에 약 20개의 사과가 있다.

09 He took a trip to Seoul ____________ the vacation.
그는 방학 동안 서울로 여행을 갔다.

10 He can't read ____________ his glasses.
그는 자신의 안경 없이는 읽을 수가 없다.

WORDS

choose 고르다 hear 듣다 news 뉴스 earthquake 지진 return 반납하다 parents 부모
river 강 city 도시 act 행동하다 fool 바보 box 상자 trip 여행 vacation 방학 glasses 안경

Guide

between과 among은 '~ 사이에서(중에서)'의 의미입니다.

1 다음 영어를 우리말로 쓰세요.

01 I stayed in London during the festival.
→ 나는 축제 동안 런던에 머물렀다.

02 She is reading a book about Africa.
→

03 November is between October and December.
→

04 Tommy acts like his father.
→

05 We lived in India for two years.
→

06 We cannot live without air.
→

07 She's cutting paper with scissors.
→

08 You may choose one among them.
→

09 She went to the zoo with her friends.
→

10 This present is for my mom.
→

11 A girl is standing by the photocopier.
→

12 I have about 20 dollars.
→

WORDS
festival 축제 **November** 11월 **act** 행동하다 **like** ~처럼 **India** 인도 **air** 공기 **paper** 종이 **scissors** 가위 **choose** 선택하다 **stand** 서다 **photocopier** 복사기 **dollar** 달러

Chapter 16 접속사 Ⅲ

1 접속사 and, but, or

접속사는 단어와 단어, 구와 구, 그리고 문장과 문장 등을 연결시켜 주는 역할을 하며, 접속사에 따라 문장에서 하는 역할이 다릅니다. 접속사 and, but, or는 단어와 단어, 구와 구, 문장과 문장을 모두 연결할 수 있습니다.

단어와 단어 연결 (and, but, or)	He **and** his son are very kind. 그와 그의 아들은 친절하다. Sam is short **but** strong. 샘은 키가 작지만 강하다.
2개 이상의 단어와 2개 이상의 단어(구와 구) 연결 (and, but, or)	I like watching movies **and** reading books. 나는 영화 보는 것과 책 읽는 것을 좋아한다. You may have a blue one **or** a green one. 너는 파란색의 것이나 초록색의 것을 가져도 좋다.
문장과 문장 연결 (and, but)	He studied hard, **but** he didn't pass the test. 그는 열심히 공부했으나 시험에 통과하지 못했다. My mom is a nurse, **and** my dad is a teacher. 나의 엄마는 간호사이고 나의 아빠는 교사이다.

Tips 구(句)란 2개 이상의 단어로 이루어져 있으며 '주어와 동사'가 없는 형태의 말을 의미합니다.
I live in Seoul. 나는 서울에 산다. (구: in Seoul) I like watching movies. 나는 영화 보는 것을 좋아한다. (구: watching movies)

2 접속사 after, before, until, when

접속사 after, before, until, when은 문장과 문장을 연결할 때 사용합니다.

after (~한 후에)	I go to school. + I eat breakfast. I go to school **after** I eat breakfast. 나는 아침식사 후 학교에 간다.
before (~ 전에)	I take a shower. + I go to bed. I take a shower **before** I go to bed. 나는 자기 전에 샤워를 한다.
until (~할 때까지)	He waited. + The rain stopped. He waited **until** the rain stopped. 그는 비가 그칠 때까지 기다렸다.
when (~할 때)	She watched movies. + She was free. She watched movies **when** she was free. 그녀는 한가할 때 영화를 봤다.

Tips after, before, until은 전치사 또는 접속사로 사용될 수 있습니다. 전치사로 사용되는 경우에는 뒤에 명사가 와야 하고, 접속사로 사용되는 경우에는 뒤에 [주어+동사 ~]의 문장이 와야 합니다.
I watched TV **after** dinner. 나는 저녁식사 후에 TV를 봤다. (전치사 + 명사)
I watched TV **after** I had dinner. 나는 저녁을 먹은 후에 TV를 봤다. (접속사 + 주어 + 동사 ~)

접속사 if

접속사 if는 '만약 ~하면'이란 의미로 조건을 나타내며, 문장과 문장을 연결합니다.

if (만약 ~한다면)	You turn left. (조건) + You will see the post office. (결과) **If** you turn left, you will see the post office. 왼쪽으로 돌면 우체국이 보일 것이다.

Tips if가 이끄는 조건 문장이 뒤로 갈 수 있습니다.
You will see the post office **if** you turn left.

접속사 so, because

접속사 so는 '그래서', '그 결과'라는 의미로 so가 이끄는 문장은 결과를 나타내며, because는 '때문에'라는 의미로 because가 이끄는 문장은 원인을 나타냅니다.

so (그래서, 그 결과)	I am tired. (이유) + I can't walk fast. (결과) I am tired, **so** I can't walk fast. 나는 피곤하다. 그래서 빨리 걸을 수가 없다. ※ so 다음 문장이 결과를 나타냅니다.
because (때문에)	I can't walk fast. (결과) + I am tired. (이유) I can't walk fast **because** I am tired. 나는 빨리 걸을 수가 없다. 왜냐하면 피곤하기 때문이다. ※ because 다음 문장이 이유를 나타냅니다.

Tips
- because가 이끄는 문장이 앞에 올 수 있으며 이때에는 반드시 because가 이끄는 문장 끝에 콤마(,)를 붙입니다.
  Because I am tired**,** I can't walk fast. 나는 피곤하기 때문에 빨리 걸을 수 없다.
- because of는 전치사로 다음에 명사가 옵니다.
  He could not sleep **because of** the noise. 그는 소음 때문에 잘 수가 없었다.

접속사 and, but, or는 단어와 단어, 구와 구, 문장과 문장을 연결합니다.

1 다음 우리말과 일치하도록 빈칸에 알맞은 말을 쓰세요.

01 She ___and___ her son are very tall.
그녀와 그녀의 아들은 매우 키가 크다.

02 Sandy is thin ________ healthy.
샌디는 말랐지만 건강하다.

03 I like watching TV ________ drawing pictures.
나는 TV 보는 것과 그림 그리는 것을 좋아한다.

04 You may have coffee ________ tea.
너는 커피나 차를 마셔도 좋다.

WORDS
son 아들 tall 키가 큰 thin 마른 healthy 건강한 picture 그림 coffee 커피 tea 티

접속사 after, before, until, when은 문장과 문장을 연결할 때 사용합니다.

1 다음 우리말과 일치하도록 괄호 안에서 알맞은 것을 고르세요.

01 I will wait (until / so) you are ready.
나는 네가 준비될 때까지 기다릴 것이다.

02 I was late for school (because / so) I got up late.
나는 늦게 일어나서 학교에 지각했다.

03 I washed my hands (before / until) the meal.
나는 식사 전에 손을 씻었다.

04 I will wait (until / before) tomorrow.
나는 내일까지 기다릴 것이다.

05 (If / So) you have any questions, give me a call.
질문이 있으면, 나에게 전화해라.

06 He could not sleep (because / because of) the noise.
그는 소음 때문에 잠을 잘 수가 없었다.

07 Penguins can swim, (but / and) they can't fly.
펭귄은 수영할 수 있지만 날 수 없다.

08 Shall we meet at the restaurant (or / but) at the café?
우리 식당에서 만날까요 아니면 카페에서 만날까요?

09 I didn't sleep well last night, (so / because) I am tired now.
나는 지난밤 잠을 잘 못 자서 지금 피곤하다.

10 Stay here (until / when) he comes back.
그가 돌아올 때까지 이곳에 있어라.

11 I arrived at the bus stop (before / after) the bus left.
나는 버스가 떠난 후에 버스 정류장에 도착했다.

12 She read books (until / when) she was free.
그녀는 한가했을 때 책을 읽었다.

WORDS

wait 기다리다 **ready** 준비된 **late** 늦은 **meal** 식사 **tomorrow** 내일 **question** 질문 **call** 전화 **noise** 소음 **penguin** 펭귄 **restaurant** 식당 **arrive** 도착하다 **bus stop** 버스 정류장 **free** 한가한

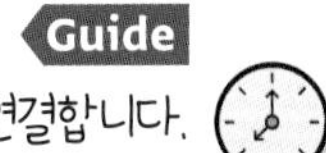

접속사 if는 '만약 ~하면'이란 의미로 조건 접속사로 문장을 연결합니다.

1 다음 우리말과 일치하도록 빈칸에 알맞은 접속사를 쓰세요.

01 She walked her dog ______before______ she did her homework.
그녀는 숙제하기 전에 개를 산책시켰다.

02 She was sleeping ____________ I entered the room.
그녀는 내가 방에 들어왔을 때 자고 있었다.

03 Did you go to bed ____________ you took a shower?
너는 샤워한 후에 잠을 잤니?

04 I like vegetables, ____________ I don't like tomatoes.
나는 야채를 좋아하지만 토마토는 좋아하지 않는다.

05 We wanted to swim, ____________ we went to the river.
우리는 수영하고 싶었고, 그래서 강에 갔다.

06 I'll stay home, ____________ it rains tomorrow.
내일 비가 오면 나는 집에 있을 것이다.

07 They didn't go outside ____________ it rained.
그들은 비가 와서 외출하지 않았다.

08 ____________ my mom is busy, I wash the dishes.
엄마가 바쁘실 때 나는 설거지를 한다.

09 You have to warm up ____________ you play sports.
너는 운동하기 전에 준비 운동을 해야 한다.

10 I'd like to be a pianist ____________ I like playing the piano.
나는 피아노 치는 것을 좋아해서 피아니스트가 되고 싶다.

11 I will wait here ____________ the meeting is over.
나는 그 회의가 끝날 때까지 여기서 기다릴 것이다.

12 You can stay at home ____________ go to the movies.
너는 집에 있거나 또는 영화관에 갈 수 있다.

WORDS

homework 숙제 **enter** 들어가다 **shower** 샤워 **vegetable** 야채 **river** 강 **stay** 머물다
go outside 외출하다 **busy** 바쁜 **warm up** 준비 운동하다 **pianist** 피아니스트 **be over** 끝나다 **movie** 영화

Review Test 4

Chapter 13-16

공부한 날 :　　　　부모님 확인 :

【01~03】 다음 중 빈칸에 알맞은 것을 고르세요.

01› I ________ like to have noodles for lunch.

① will　② would
③ won't　④ had better
⑤ could

02› You look tired. You ________ stay home today.

① will　② can't
③ won't　④ had better
⑤ would like

03› Would you ________ some coffee?

① like　② like to
③ drinking　④ like drink
⑤ like to drinking

04› 다음 중 보기의 질문에 알맞은 대답을 고르세요.

Would you like to have dinner with me?

① Yes, I do.　② No, I would.
③ No, I didn't　④ Yes, I would.
⑤ Yes, I am.

05› 다음 중 어색한 문장을 고르세요.

① She is living with her parents.
② Sam is short but strong.
③ You had better go home.
④ You had not better go shopping today.
⑤ I'd like to play the guitar.

【06~08】 다음 중 보기의 대답에 알맞은 질문을 고르세요.

06› I'd like to go shopping.

① What would you like to do today?
② When would you like to go shopping?
③ Where would you like to stay?
④ What would you like to buy?
⑤ What would you like to eat today?

07› I can visit you next Monday.

① How can I help you?
② Can I go home now?
③ Where would you like to visit?
④ When can you visit us?
⑤ Who would you like to meet today?

08› I'd like to go there by train.

① Where would you like to go today?
② Who would you like to meet today?
③ What would you like to do?
④ When would you like to meet her?
⑤ How would you like to go there?

【09~10】 다음 중 보기의 질문에 알맞은 대답을 고르세요.

09› Where would you like to go today?

① I'd like to eat pizza.
② I'd like to buy a bag.
③ I'd like to stay home.
④ I'd like to go to the beach.
⑤ I'd like some tea.

10› Who would you like to speak to?

① I'd like to speak to James.
② I'd like to see James.
③ I'd like to invite James.
④ I'd like to go to the beach with Alice.
⑤ I can speak Korean.

【11~12】 다음 빈칸에 알맞은 전치사를 쓰세요.

11›

There is a ball ________ the boxes.
상자 사이에 공이 있다.

→ ____________________

12›

Richard is standing ________ the car.
리차드는 자동차 옆에 서 있다.

→ ____________________

【13~15】 다음 중 우리말과 일치하도록 빈칸에 알맞은 것을 고르세요.

13› There are ________ 20 apples in the box.
상자에 약 20개 사과가 있다.

① about ② for
③ among ④ with
⑤ during

14› We can't live ________ air.
우리는 공기 없이 살 수 없다.

① about ② for
③ among ④ with
⑤ without

15› He had dinner ________ John.
그는 존과 함께 저녁을 먹었다.

① about ② for
③ among ④ with
⑤ without

16› 다음 중 빈칸에 공통으로 알맞은 것을 고르세요.

- I studied English ________ two hours.
- I bought some flowers ________ you.

① like ② for
③ among ④ with
⑤ without

17> 다음 중 우리말을 영어로 바르게 쓴 것을 고르세요.

이것은 한국 전쟁에 관한 책이다.

① This is a book for Korean war.
② This is a book about Korean war.
③ This is a book like Korean war.
④ This is a book among Korean war.
⑤ This is a book during Korean war.

18> 다음 중 밑줄 친 것이 어색한 것을 고르세요.

① Michelle is the tallest among her friends.
② Don't play with scissors.
③ He practiced the piano for the vacation.
④ What can I do for you?
⑤ She looks like her mother.

19> 다음 중 밑줄 친 것의 쓰임이 다른 것을 고르세요.

① She was sleeping when I entered the room.
② I washed my hands before the meal.
③ He went to bed after he took a shower.
④ They didn't go outside because it rained.
⑤ We wanted to swim, so we went to the river.

20> 다음 빈칸에 알맞은 말을 쓰세요.

Would you ________ some ice cream?
아이스크림 드시겠어요?

→ ____________________

【21~23】 다음 중 빈칸에 알맞은 것을 고르세요.

21> Stay here ________ he comes back.
그가 돌아올 때까지 이곳에 있어라.

① before ② for
③ until ④ so
⑤ if

22> I'll stay home, ________ it snows tomorrow.
내일 눈이 오면 나는 집에 있을 것이다.

① before ② for
③ until ④ so
⑤ if

23> You can have pizza ________ rice noodles.
너는 피자 또는 쌀국수를 먹을 수 있다.

① and ② for
③ until ④ so
⑤ or

【24~25】 다음 대화의 빈칸에 알맞은 말을 쓰세요.

24>

A: ________ would you like to eat?
B: I'd like to eat steak.

→ ____________________

25>

A: ________ would you like to go today?
B: I'd like to go to the zoo.

→ ____________________

26> 다음 주어진 단어를 알맞게 배열하세요.

You have a cold.
(not / had / better / go fishing)

→ You ____________________
____________________.

27> 다음 영어를 우리말로 쓰세요.

He is like his dad.

→ ____________________

【28~29】 다음 빈칸에 알맞은 전치사를 쓰세요.

28>

I am the strongest ________ my friends.
나는 친구들 사이에서 가장 강하다.

→ ____________________

29>

He cut the tree ________ an ax.
그는 도끼로 나무를 잘랐다.

→ ____________________

30> 다음 보기의 빈칸에 알맞은 접속사를 쓰세요.

He studied hard, ________ he didn't pass the test.

→ ____________________

memo

memo

memo

Longman

GRAMMAR HOUSE

초등영문법

WORKBOOK & ANSWERS

Longman

GRAMMAR HOUSE

초등영문법

Vocabulary

다음 단어를 3번씩 더 쓰세요.

	단어	뜻	쓰기
01	accident	사고	accident
02	bake	굽다	bake
03	broken	깨진	broken
04	camp	캠프	camp
05	clean	청소하다	clean
06	cut	베다	cut
07	draw	그리다	draw
08	enjoy	즐기다	enjoy
09	fire	화재	fire
10	glass	유리	glass
11	hurt	다치다	hurt
12	introduce	소개하다	introduce
13	mirror	거울	mirror
14	myself	나 자신	myself
15	people	사람들	people
16	picture	그림	picture
17	problem	문제	problem
18	shave	면도하다	shave
19	solve	해결하다	solve
20	woman	여자	woman

1 다음 우리말 뜻에 해당하는 영어 단어를 쓰세요.

01 그리다 → ______ 02 나 자신 → ______
03 캠프 → ______ 04 다치다 → ______
05 사람들 → ______ 06 즐기다 → ______
07 여자 → ______ 08 사고 → ______
09 문제 → ______ 10 베다 → ______
11 청소하다 → ______ 12 면도하다 → ______

2 다음 우리말과 일치하도록 보기에서 알맞은 단어를 골라 쓰세요.

solved bake fire introduce glass

01 나의 어머니는 깨진 유리에 그 자신이 베었다.
→ My mother cut herself on some broken ______.

02 그는 혼자서 그 문제를 해결했다.
→ He ______ the problem by himself.

03 당신에게 제 소개를 하겠습니다.
→ Let me ______ myself to you.

중요문법 요점정리

▶ 어떤 동작을 하는 사람 자신을 나타내는 대명사를 ______ 라고 합니다. 재귀대명사는 인칭대명사의 소유격이나 목적격에 -self(단수)나 -selves(복수)를 붙인 형태로 '~ ______'이라는 의미를 가집니다.

• ______: 나 자신 • ______: 너 자신 • himself: 그 자신
• herself: 그녀 자신 • ______: 그것 자체 • ______: 우리 자신
• yourselves: 너희들 자신 • ______: 그들 자신

▶ 재귀대명사는 ______ 역할을 할 때 생략할 수 없습니다.
▶ 재귀대명사는 주어나 목적어를 강조하기도 하는데, 이때의 재귀대명사는 ______ 할 수 있습니다.

다음 단어를 3번씩 더 쓰세요.

	단어	뜻	쓰기
01	bakery	빵집	bakery
02	better	더 좋은	better
03	boring	지루한	boring
04	cheap	싼	cheap
05	cheese	치즈	cheese
06	Chinese	중국어	Chinese
07	delicious	맛있는	delicious
08	expensive	비싼	expensive
09	floor	바닥	floor
10	fresh	신선한	fresh
11	Internet	인터넷	Internet
12	lend	빌려주다	lend
13	need	필요하다	need
14	plate	접시	plate
15	puppy	강아지	puppy
16	refrigerator	냉장고	refrigerator
17	speak	말하다	speak
18	taste	맛보다	taste
19	umbrella	우산	umbrella
20	weekend	주말	weekend

1 다음 우리말 뜻에 해당하는 영어 단어를 쓰세요.

01 주말 → ______ 02 필요하다 → ______
03 더 좋은 → ______ 04 바닥 → ______
05 치즈 → ______ 06 빌려주다 → ______
07 비싼 → ______ 08 맛있는 → ______
09 접시 → ______ 10 말하다 → ______
11 중국어 → ______ 12 우산 → ______

2 다음 우리말과 일치하도록 보기에서 알맞은 단어를 골라 쓰세요.

bakery	fresh	cheap	Internet	puppies

01 나는 인터넷에서 그것들을 샀다.
→ I bought them on the ______.

02 2층에 빵집이 있다.
→ There is a ______ on the second floor.

03 샘은 강아지 두 마리가 있다. 그는 그들을 매일 산책시킨다.
→ Sam has two ______. He walks them every day.

중요문법 요점정리

▸ ______는 어떤 특정한 사람이나 사물을 가리키는 것이 아니고 막연한 대상이나 불특정한 수량을 나타내는 명사입니다.

▸ 부정대명사 ______은 앞에 나온 명사의 반복을 피하기 위해 사용하는데, ______ 대상을 표현합니다. ______는 one으로 대신하고, ______는 ones로 대신합니다.

▸ 부정대명사 some과 any는 전체 중 일부의 막연한 수나 양을 나타냅니다.

______	일부 사람들, 어떤 사물들, 약간, 다소
______	의문문 - 무슨, 어느 것인가, 누군가 / 부정문 - 아무것도, 어느 것도, 누구도

Chapter 03 Vocabulary

다음 단어를 3번씩 더 쓰세요.

	단어	뜻	쓰기
01	both	둘 다	both
02	bottle	병	bottle
03	draw	그리다	draw
04	each	각자	each
05	enjoy	즐기다	enjoy
06	glove	장갑	glove
07	handsome	잘생긴	handsome
08	hate	미워하다	hate
09	interesting	재미있는	interesting
10	lamp	등, 램프	lamp
11	menu	메뉴	menu
12	mine	내 것	mine
13	own	자신의	own
14	people	사람들	people
15	player	선수	player
16	present	선물	present
17	receive	받다	receive
18	sleepy	졸린	sleepy
19	tired	피곤한	tired
20	wife	아내	wife

1 다음 우리말 뜻에 해당하는 영어 단어를 쓰세요.

01 사람들 → ______________ 02 내 것 → ______________

03 등, 램프 → ______________ 04 메뉴 → ______________

05 아내 → ______________ 06 병 → ______________

07 그리다 → ______________ 08 미워하다 → ______________

09 둘 다 → ______________ 10 받다 → ______________

11 선수 → ______________ 12 각자 → ______________

2 다음 우리말과 일치하도록 보기에서 알맞은 단어를 골라 쓰세요.

sleepy	present	own	interesting	handsome

01 어린이 둘 모두 피곤하고 졸리다.
→ Both children are tired and ______________.

02 어린이들이 각자 선물을 받았다.
→ Each of the children received a ______________.

03 내 친구 둘 다 키가 크고 잘생겼다.
→ Both my friends are tall and ______________.

중요문법 요점정리

- 부정대명사 ______________ 은 '모두', '모든 것' 등의 의미로 ______________ 로 쓰이지만, 명사와 함께 쓰여 ______________ 역할을 할 수도 있습니다.
- 부정대명사 ______________ 는 '둘 다', '양쪽'의 의미로 대명사로 쓰이지만, 명사와 함께 쓰여 형용사 역할을 할 수도 있습니다.
- 부정대명사 ______________ 는 '각각의 것', '각각의 사람'이란 의미로 대명사로 쓰이지만, ______________ 와 함께 쓰여 형용사 역할을 할 수도 있습니다.
- each other는 '______________'라는 의미로 동사의 목적어 역할을 하거나 전치사의 목적어 역할을 합니다.

Vocabulary

다음 단어를 3번씩 더 쓰세요.

	단어	뜻	쓰기
01	a lot of	많은	a lot of
02	another	또 다른	another
03	children	아이들	children
04	flower	꽃	flower
05	fruit	과일	fruit
06	garden	정원	garden
07	letter	편지	letter
08	library	도서관	library
09	orange	오렌지	orange
10	others	다른 사람들	others
11	parking lot	주차장	parking lot
12	pet	애완동물	pet
13	question	질문	question
14	restaurant	식당	restaurant
15	show	보여주다	show
16	stage	무대	stage
17	summer	여름	summer
18	throw	던지다	throw
19	tomato	토마토	tomato
20	twins	쌍둥이	twins

1 다음 우리말 뜻에 해당하는 영어 단어를 쓰세요.

01 꽃 → ____________ 02 정원 → ____________
03 토마토 → ____________ 04 다른 사람들 → ____________
05 던지다 → ____________ 06 오렌지 → ____________
07 여름 → ____________ 08 애완동물 → ____________
09 또 다른 → ____________ 10 주차장 → ____________
11 아이들 → ____________ 12 무대 → ____________

2 다음 우리말과 일치하도록 보기에서 알맞은 단어를 골라 쓰세요.

twins	a lot of	library	letter	show

01 쌍둥이 한 명은 남자 아이고 나머지 한 명은 여자 아이다.
→ One of the ____________ is a boy and the other is a girl.

02 도서관에 두 명의 소녀가 있다.
→ There are two girls in the ____________.

03 정원에는 많은 꽃들이 있다.
→ There are ____________ flowers in the garden.

중요문법 요점정리

▶ 부정대명사 ____________은 같은 종류의 또 다른 하나를 언급할 때 사용합니다.
another는 [another+ ____________] 형태로 형용사 역할을 할 수도 있습니다.

▶ 부정대명사 one과 other를 이용한 표현

one ~, ____________ ____________ ~	(두 개 있을 때) 하나는 ~, 나머지 하나는 ~
one ~, the ____________ ~	(세 개 이상 있을 때) 하나는 ~, 나머지 모두는 ~
one ~, ____________ ~, the other ~	(세 개 있을 때) 하나는 ~, 다른 하나는 ~, 나머지 하나는 ~
some ~, ____________ ~	(많은 무리에서) 몇몇은 ~, 다른 몇몇은 ~
some ~, ____________ ____________ ~	(많은 무리에서) 몇몇은 ~, 나머지 모두는 ~

다음 단어를 3번씩 더 쓰세요.

	단어	뜻	쓰기
01	among	사이에서	among
02	become	되다	become
03	believe	믿다	believe
04	city	도시	city
05	dangerous	위험한	dangerous
06	draw	그리다	draw
07	difficult	어려운	difficult
08	dream	꿈	dream
09	exciting	신나는	exciting
10	finish	끝내다	finish
11	hobby	취미	hobby
12	invite	초대하다	invite
13	job	직업	job
14	math	수학	math
15	picture	그림, 사진	picture
16	popular	인기 있는	popular
17	river	강	river
18	sea	바다	sea
19	spicy	매운	spicy
20	Sunday	일요일	Sunday

1 다음 우리말 뜻에 해당하는 영어 단어를 쓰세요.

01 도시 → ____________ 02 그리다 → ____________

03 그림, 사진 → ____________ 04 수학 → ____________

05 매운 → ____________ 06 강 → ____________

07 믿다 → ____________ 08 꿈 → ____________

09 위험한 → ____________ 10 초대하다 → ____________

11 끝내다 → ____________ 12 인기 있는 → ____________

2 다음 우리말과 일치하도록 보기에서 알맞은 단어를 골라 쓰세요.

exciting become hobby sea difficult

01 매일 일기를 쓰는 것은 어렵다.
→ Keeping a diary every day is ____________.

02 영화 보는 것이 나의 취미이다.
→ Watching movies is my ____________.

03 도시에서 사는 것은 즐겁다.
→ Living in the city is ____________.

중요문법 요점정리

▶ 동명사란 ________ 에 -ing를 붙여 명사의 역할을 하도록 만든 것으로 문장에서 ________, ________, ________ 역할을 할 수 있습니다.

▶ 동명사 만드는 법

대부분의 동사에는 -________를 붙입니다.	call → ________
[자음+e]로 끝나는 동사는 마지막 -________를 빼고 -ing를 붙입니다.	come → ________
-ie로 끝나는 동사는 -ie를 -________로 바꾸고 -ing를 붙입니다.	lie → ________
[자음+모음+자음] 또는 [자음+자음+모음+자음]의 형태로 이루어진 동사는 마지막 ________을 한 번 더 쓰고 -ing를 붙입니다.	sit → ________

다음 단어를 3번씩 더 쓰세요.

	단어	뜻	쓰기
01	again	다시	again
02	believe	믿다	believe
03	building	건물	building
04	decide	결심하다	decide
05	diary	일기	diary
06	dinner	저녁(식사)	dinner
07	every day	매일	every day
08	first	우선	first
09	goal	목표	goal
10	hope	바라다	hope
11	know	알다	know
12	learn	배우다	learn
13	machine	기계	machine
14	master	마스터하다	master
15	park	주차하다	park
16	plan	계획하다	plan
17	please	제발	please
18	station	역	station
19	vegetable	야채	vegetable
20	visit	방문하다	visit

1 다음 우리말 뜻에 해당하는 영어 단어를 쓰세요.

01 제발 → ____________ 02 일기 → ____________

03 계획하다 → ____________ 04 기계 → ____________

05 배우다 → ____________ 06 알다 → ____________

07 믿다 → ____________ 08 건물 → ____________

09 바라다 → ____________ 10 목표 → ____________

11 결심하다 → ____________ 12 우선 → ____________

2 다음 우리말과 일치하도록 보기에서 알맞은 단어를 골라 쓰세요.

every day park station vegetables master

01 역에 어떻게 가는지 말해 주세요.

→ Please tell me how to get to the ____________.

02 그녀의 직업은 야채를 파는 것이다.

→ Her job is to sell ____________.

03 매일 일기를 쓰는 것은 쉽지 않다.

→ To keep a diary ____________ is not easy.

중요문법 요점정리

▶ to부정사란 [to+ ____________] 형태로 문장 안에서 ____________, ____________, ____________ 의 역할을 할 수 있습니다. to부정사는 쓰임이 정해지지 않았기 때문에 모양은 같아도 문장 안에서 다양한 역할을 할 수 있습니다.

▶ 주어와 보어로 사용된 ____________ 와 to부정사는 의미가 같아서 서로 바꿔 쓸 수 있습니다.

▶ [의문사+ ____________]는 명사 역할을 하여 문장에서 ____________ 로 사용할 수 있습니다.

무엇을 ~할지	____________ +to 동사원형	언제 ~할지	____________ +to 동사원형
어디에 / 어디로 ~할지	____________ +to 동사원형	어떻게 ~할지	____________ +to 동사원형

Vocabulary

다음 단어를 3번씩 더 쓰세요.

	단어	뜻	쓰기
01	abroad	해외로	abroad
02	again	다시	again
03	agree	동의하다	agree
04	arrive	도착하다	arrive
05	continue	계속하다	continue
06	dance	춤추다	dance
07	decide	결심하다	decide
08	diary	일기	diary
09	expect	기대하다	expect
10	give up	포기하다	give up
11	hate	싫어하다	hate
12	leave	떠나다	leave
13	lesson	수업	lesson
14	meat	고기	meat
15	mind	꺼리다	mind
16	motorcycle	오토바이	motorcycle
17	practice	연습하다	practice
18	promise	약속하다	promise
19	travel	여행하다	travel
20	until	~까지	until

1 다음 우리말 뜻에 해당하는 영어 단어를 쓰세요.

01 다시 → ____________ 02 도착하다 → ____________
03 꺼리다 → ____________ 04 해외로 → ____________
05 포기하다 → ____________ 06 여행하다 → ____________
07 동의하다 → ____________ 08 오토바이 → ____________
09 기대하다 → ____________ 10 연습하다 → ____________
11 싫어하다 → ____________ 12 약속하다 → ____________

2 다음 우리말과 일치하도록 보기에서 알맞은 단어를 골라 쓰세요.

decided continue until leave lesson

01 제임스는 2004년까지 간호사로 근무를 계속했다.
→ James continued working as a nurse ____________ 2004.

02 토니는 중국어를 배우기로 결심했다.
→ Tony ____________ to learn Chinese.

03 나는 컴퓨터 수업을 받을 계획을 세웠다.
→ I planned to take a computer ____________.

중요문법 요점정리

▶ 영어는 문장에서 동사를 두 번 써야 하는 경우에 ____________ 나 to부정사를 만들어 사용합니다.

▶ 동명사와 함께하는 동사에는 ____________(즐기다), keep(계속하다), ____________(멈추다), ____________(연습하다), ____________(끝내다), give up(포기하다), ____________(꺼려하다) 등이 있습니다.

▶ to부정사와 함께하는 동사에는 ____________(원하다), ____________(희망하다), plan(계획하다), ____________(약속하다), ____________(결심하다), ____________(기대하다), need(필요하다), ____________(동의하다) 등이 있습니다.

▶ 동명사와 to부정사를 모두 함께하는 동사에는 ____________(좋아하다), love(사랑하다), ____________(싫어하다), ____________(시작하다), begin(시작하다), ____________(계속하다) 등이 있습니다.

Vocabulary

다음 단어를 3번씩 더 쓰세요.

	단어	뜻	쓰기
01	air	공기	air
02	birthday	생일	birthday
03	change	바꾸다	change
04	crowded	붐비는	crowded
05	free	한가한	free
06	fresh	신선한	fresh
07	hungry	배고픈	hungry
08	meet	만나다	meet
09	order	주문하다	order
10	picnic	소풍	picnic
11	present	선물	present
12	stay	머물다	stay
13	thirsty	목마른	thirsty
14	tired	피곤한	tired
15	today	오늘	today
16	together	함께	together
17	tomorrow	내일	tomorrow
18	waste	낭비하다	waste
19	water	물	water
20	weekend	주말	weekend

1 다음 우리말 뜻에 해당하는 영어 단어를 쓰세요.

01 피곤한 → ______________ 02 선물 → ______________

03 공기 → ______________ 04 주문하다 → ______________

05 한가한 → ______________ 06 바꾸다 → ______________

07 함께 → ______________ 08 소풍 → ______________

09 신선한 → ______________ 10 낭비하다 → ______________

11 머물다 → ______________ 12 주말 → ______________

2 다음 우리말과 일치하도록 보기에서 알맞은 단어를 골라 쓰세요.

birthday	tomorrow	crowded	hungry	thirsty

01 내일 5시에 만나는 게 어때?
→ How about meeting at five ______________?

02 그 버스에 사람이 많다. 그 버스 타지 말자.
→ The bus is too ______________. Let's not take the bus.

03 나는 목이 마르다. 탄산음료 마시는 거 어때?
→ I feel ______________. Why don't we drink soda?

중요문법 요점정리

▶ 우리가 상대방에게 뭔가를 같이 하자고 제안하거나 요청을 하는 것을 ______________ 또는 청유문이라고 하며 '~하자', '우리 ~할래?,' '~하는 게 어때?' 등으로 해석합니다.

▶ Let's를 이용한 [Let's+______________]은 '~하자'라는 의미이고, [Let's ______________ +동사원형]은 '~하지 말자'라는 의미입니다.

▶ [How about+______________ ~?]나 [Why don't ______________ +동사원형 ~?]는 '우리 ~할래?', '~하는 게 어때?' 등의 의미로 상대방에게 뭔가를 제안하거나 요청할 때 사용합니다.

▶ [Why don't ______________ +동사원형 ~?]는 '~하는 게 어때?'라는 의미로 말하는 사람은 포함되지 않고 상대방에게만 뭔가를 권유할 때 사용합니다.

다음 단어를 3번씩 더 쓰세요.

	단어	뜻	쓰기
01	baby	아기	baby
02	bark	짖다	bark
03	boring	지루한	boring
04	burn	타다	burn
05	cross	건너다	cross
06	crying	우는	crying
07	cute	귀여운	cute
08	excite	흥분시키다	excite
09	fall	떨어지다	fall
10	glasses	안경	glasses
11	hand	손	hand
12	leaf	나뭇잎	leaf
13	mosquito	모기	mosquito
14	plane	비행기	plane
15	pool	수영장	pool
16	rising	떠오르는	rising
17	roll	구르다	roll
18	shocking	놀라운	shocking
19	stone	돌	stone
20	story	이야기	story

1 다음 우리말 뜻에 해당하는 영어 단어를 쓰세요.

01 건너다	→ ________	02 수영장	→ ________
03 손	→ ________	04 흥분시키다	→ ________
05 나뭇잎	→ ________	06 떨어지다	→ ________
07 이야기	→ ________	08 짖다	→ ________
09 귀여운	→ ________	10 떠오르는	→ ________
11 안경	→ ________	12 비행기	→ ________

2 다음 우리말과 일치하도록 보기에서 알맞은 단어를 골라 쓰세요.

mosquito shocking burn boring baby

01 그녀는 날아가는 모기를 손으로 잡았다.
→ She caught a flying ________ with her hand.

02 그 우는 아기는 내 남동생이다.
→ The crying ________ is my brother.

03 저 영화는 매우 지루하다.
→ That movie is very ________.

중요문법 요점정리

▶ 분사란 동사가 ________ 역할을 하는 것을 말하며, ________ 와 ________ 가 있습니다.
▶ 현재분사는 '~하는' 등의 의미를 가지고 있으며, 명사의 앞이나 뒤에 와서 명사를 ________ 역할을 하거나 동사 뒤에 위치하여 주어에 대한 ________ 을 하는 역할을 합니다.

명사를 ________ 에서 수식하는 역할	The **sleeping** baby is my brother. 그 자고 있는 아기는 나의 남동생이다.
명사를 ________ 에서 수식하는 역할	The woman **sitting** on the sofa is my mom. 소파에 앉아 있는 여성은 나의 엄마다.
________ 를 보충 설명하는 역할	The movie is very **interesting**. 그 영화는 매우 흥미롭다.

다음 단어를 3번씩 더 쓰세요.

	단어	뜻	쓰기
01	boiled	삶은	boiled
02	bore	지루하게 하다	bore
03	covered	덮인	covered
04	dried	건조한	dried
05	driver	운전자	driver
06	drunk	술 취한	drunk
07	fall	떨어지다	fall
08	fish	생선	fish
09	fried	튀긴	fried
10	hear	듣다	hear
11	hill	언덕	hill
12	interesting	재미있는	interesting
13	leaf	나뭇잎	leaf
14	movie	영화	movie
15	people	사람들	people
16	roof	지붕	roof
17	soccer	축구	soccer
18	stolen	훔친	stolen
19	street	거리	street
20	tear	눈물	tear

1 다음 우리말 뜻에 해당하는 영어 단어를 쓰세요.

01 나뭇잎 → ______________ 02 사람들 → ______________

03 술 취한 → ______________ 04 생선 → ______________

05 언덕 → ______________ 06 축구 → ______________

07 운전자 → ______________ 08 덮인 → ______________

09 건조한 → ______________ 10 재미있는 → ______________

11 듣다 → ______________ 12 거리 → ______________

2 다음 우리말과 일치하도록 보기에서 알맞은 단어를 골라 쓰세요.

movie fried boiled tear roof

01 지붕이 낙엽으로 덮였다.

→ The ______________ is covered with fallen leaves.

02 너는 튀긴 음식을 좋아하니?

→ Do you like ______________ food?

03 나는 어젯밤 재미있는 영화를 보았다.

→ I watched an interesting ______________ last night.

중요문법 요점정리

▶ 과거분사는 현재분사와 다르게 ______________ 적 의미일 때 사용하며, '~되어진' 등으로 해석합니다.

▶ 감정을 나타내는 분사를 사용할 때 주어가 감정을 만들어내는 대상이면 ______________, 감정을 느끼는 대상이면 ______________ 를 사용합니다.

▶ 불규칙 과거분사 - 불규칙으로 변하는 동사는 반드시 외워야 합니다.

동사원형	과거분사	동사원형	과거분사
break 깨다	______________ 깨진, 고장 난	steal 훔치다	______________ 훔친, 도둑맞은
write 쓰다	______________ 쓰인	fall 떨어지다	______________ 떨어진
make 만들다	______________ 만들어진	lose 잃어버리다	______________ 잃어버린

다음 단어를 3번씩 더 쓰세요.

	단어	뜻	쓰기
01	borrow	빌리다	borrow
02	change	바꾸다	change
03	clean	청소하다	clean
04	cut	자르다	cut
05	discover	발견하다	discover
06	drive	운전하다	drive
07	glove	장갑	glove
08	hit	치다	hit
09	homework	숙제	homework
10	invent	발명하다	invent
11	letter	편지	letter
12	move	옮기다	move
13	novel	소설	novel
14	park	주차하다	park
15	send	보내다	send
16	slowly	천천히	slowly
17	telephone	전화기	telephone
18	vase	꽃병	vase
19	walk	산책시키다	walk
20	written	쓰인	written

1 다음 우리말 뜻에 해당하는 영어 단어를 쓰세요.

01 발견하다 → ____________ 02 치다 → ____________

03 바꾸다 → ____________ 04 자르다 → ____________

05 빌리다 → ____________ 06 쓰인 → ____________

07 장갑 → ____________ 08 소설 → ____________

09 천천히 → ____________ 10 주차하다 → ____________

11 운전하다 → ____________ 12 보내다 → ____________

2 다음 우리말과 일치하도록 보기에서 알맞은 단어를 골라 쓰세요.

walks move letter clean telephone

01 샘은 매일 개를 산책시킨다.

→ Sam ____________ the dog every day.

02 전화기는 벨에 의해 발명됐다.

→ The ____________ was invented by Bell.

03 이 편지는 마이크에 의해 보내졌다.

→ This ____________ was sent by Mike.

중요문법 요점정리

▶ 주어가 동사의 행동을 직접 하는 것을 표현한 문장 형태를 ____________, 행위를 하는 것이 아닌 당하는 입장을 나타내는 문장 형태를 ____________라고 부릅니다.

▶ 능동태 문장을 수동태로 만들기

(1) 능동태의 ____________를 찾아 수동태의 주어로 씁니다.

(2) ____________가 현재인지 과거인지 파악합니다.

(3) 능동태의 동사를 ____________ 형태로 바꾸고, 그 앞에 주어와 시제에 맞는 ____________를 씁니다.

(4) 능동태의 ____________를 [by+목적격] 형태로 바꾸어 씁니다.

다음 단어를 3번씩 더 쓰세요.

	단어	뜻	쓰기
01	bake	굽다	bake
02	bicycle	자전거	bicycle
03	break	깨다	break
04	bridge	다리	bridge
05	build	짓다	build
06	change	바꾸다	change
07	check	확인하다	check
08	direct	감독하다	direct
09	injure	다치다	injure
10	invite	초대하다	invite
11	package	소포	package
12	paint	칠하다	paint
13	phone	전화기	phone
14	plan	계획	plan
15	prepare	준비하다	prepare
16	put	놓다	put
17	respect	존경하다	respect
18	rock	바위	rock
19	thief	도둑	thief
20	window	창문	window

1 다음 우리말 뜻에 해당하는 영어 단어를 쓰세요.

01 칠하다	→ ______	02 초대하다	→ ______
03 도둑	→ ______	04 전화기	→ ______
05 깨다	→ ______	06 다리	→ ______
07 자전거	→ ______	08 감독하다	→ ______
09 굽다	→ ______	10 바위	→ ______
11 존경하다	→ ______	12 바꾸다	→ ______

2 다음 우리말과 일치하도록 보기에서 알맞은 단어를 골라 쓰세요.

injured packages build window prepare

01 그 소포들은 그에 의해 확인됐니?
→ Were the ______ checked by him?

02 그들은 낙석에 부상당했니?
→ Were they ______ by falling rocks?

03 그들은 이 파티를 준비했니?
→ Did they ______ this party?

중요문법 요점정리

▶ 부정문 수동태는 [주어+be동사+ ______ +과거분사+by (대)명사]의 형태를 가집니다.

▶ 의문문 수동태는 [______ +주어+과거분사+by (대)명사 ~?]의 형태를 가집니다.

Does she make the cake? 그녀는 그 케이크를 만드니?

→ Is the cake made by her? 그 케이크는 그녀에 의해 만들어지니?

(1) ______ 를 찾습니다. → the cake

(2) 주어가 될 목적어의 수와 동사 시제에 맞춰 be동사를 문장 ______ 에 씁니다. → Is the cake

(3) 동사원형을 ______ 로 씁니다. → Is the cake made

(4) 능동태의 주어를 [by+ ______] 형태로 바꾸어 씁니다. → Is the cake made by her?

Chapter 13 Vocabulary

다음 단어를 3번씩 더 쓰세요.

	단어	뜻	쓰기
01	about	~에 대해	about
02	again	다시	again
03	believe	믿다	believe
04	birthday	생일	birthday
05	change	바꾸다	change
06	exercise	운동하다	exercise
07	go out	외출하다	go out
08	health	건강	health
09	here	여기	here
10	know	알다	know
11	liar	거짓말쟁이	liar
12	order	주문하다	order
13	stay	머무르다	stay
14	tired	피곤한	tired
15	tomorrow	내일	tomorrow
16	tonight	오늘 밤	tonight
17	truth	진실	truth
18	typhoon	태풍	typhoon
19	umbrella	우산	umbrella
20	wait	기다리다	wait

1 다음 우리말 뜻에 해당하는 영어 단어를 쓰세요.

01 태풍 → ____________ 02 바꾸다 → ____________
03 믿다 → ____________ 04 외출하다 → ____________
05 알다 → ____________ 06 우산 → ____________
07 거짓말쟁이 → ____________ 08 머무르다 → ____________
09 피곤한 → ____________ 10 ~에 대해 → ____________
11 운동하다 → ____________ 12 진실 → ____________

2 다음 우리말과 일치하도록 보기에서 알맞은 단어를 골라 쓰세요.

order health again tomorrow tonight

01 지금 주문하시겠습니까?
→ Would you like to ____________ now?

02 그는 그녀를 다시 보지 않는 게 좋겠다.
→ He had better not see her ____________.

03 또 다른 태풍이 오고 있기 때문에 너는 오늘 밤에 밖에 나가지 않는 게 좋겠다.
→ You had better not go out ____________ because another typhoon is coming.

중요문법 요점정리

▶ 조동사란 '동사를 도와준다'는 의미로 ____________ 앞에 와야 하며, 일반동사는 ____________의 형태가 되어야 합니다.
▶ [would like to+ ____________]은 소망을 의미하는 '~하고 싶다'라는 표현으로 세 단어를 함께 사용합니다.
▶ [would like+ ____________]는 '~을 원하다'라는 의미로, 상대방에게 정중하게 ____________ 할 때에도 사용할 수 있습니다.
▶ [had better+ ____________]은 충고나 조언을 할 때 쓰는 표현으로 '~하는 것이 좋겠다'라는 의미이며, [had better ____________ +동사원형]은 '~하지 않는 게 좋겠다'라는 의미입니다.

Vocabulary

다음 단어를 3번씩 더 쓰세요.

	단어	뜻	쓰기
01	airport	공항	airport
02	birthday	생일	birthday
03	cash	현금	cash
04	celebrate	축하하다	celebrate
05	depart	출발하다	depart
06	evening	저녁	evening
07	help	돕다	help
08	invite	초대하다	invite
09	Korean	한국어	Korean
10	noon	정오	noon
11	pay	지불하다	pay
12	pick up	데려오다	pick up
13	send	보내다	send
14	smartphone	스마트폰	smartphone
15	speak	말하다	speak
16	start	시작하다	start
17	sunglasses	선글라스	sunglasses
18	toothbrush	칫솔	toothbrush
19	traveling	여행하기	traveling
20	well	잘	well

1 다음 우리말 뜻에 해당하는 영어 단어를 쓰세요.

01 초대하다 → ____________ 02 선글라스 → ____________

03 칫솔 → ____________ 04 시작하다 → ____________

05 출발하다 → ____________ 06 공항 → ____________

07 스마트폰 → ____________ 08 데려오다 → ____________

09 지불하다 → ____________ 10 돕다 → ____________

11 저녁 → ____________ 12 한국어 → ____________

2 다음 우리말과 일치하도록 보기에서 알맞은 단어를 골라 쓰세요.

traveling send noon celebrate cash

01 우리는 언제 다시 여행할 수 있니?

→ When can we start ____________ again?

02 생일 기념을 어떻게 하길 원하세요?

→ How would you like to ____________ your birthday?

03 나는 정오에 점심을 먹는다.

→ I eat lunch at ____________.

중요문법 요점정리

▶ 의문사가 would like to와 함께 의문문을 만들 때에는 [의문사+ ____________ +주어+like to+동사원형 ~?] 형태가 되어야 합니다.

▶ 의문사 When은 ____________ ____________ 으로 바꿔서 표현할 수 있습니다.

▶ 의문사가 조동사 can과 함께 의문문을 만들 때에는 [의문사+ ____________ +주어 ~?]의 형태가 됩니다.

▶ 주어 역할을 하는 의문사가 조동사와 함께 의문문을 만들 때에는 [의문사+ ____________ + ____________ ~?]의 순서가 됩니다.

- Who will ____________ the meeting? 누가 회의에 참석할 거니?

Vocabulary

다음 단어를 3번씩 더 쓰세요.

	단어	뜻	쓰기
01	act	행동하다	act
02	air	공기	air
03	between	~ 사이에	between
04	choose	선택하다	choose
05	dollar	달러	dollar
06	during	~ 동안	during
07	earthquake	지진	earthquake
08	festival	축제	festival
09	fool	바보	fool
10	hour	시간	hour
11	India	인도	India
12	like	~처럼	like
13	nap	낮잠	nap
14	parents	부모	parents
15	passenger	승객	passenger
16	return	반납하다	return
17	scissors	가위	scissors
18	sometimes	때때로	sometimes
19	stand	서다	stand
20	without	~ 없이	without

1 다음 우리말 뜻에 해당하는 영어 단어를 쓰세요.

01 공기 → ____________ 02 낮잠 → ____________
03 ~ 동안 → ____________ 04 시간 → ____________
05 인도 → ____________ 06 선택하다 → ____________
07 달러 → ____________ 08 때때로 → ____________
09 부모 → ____________ 10 바보 → ____________
11 축제 → ____________ 12 가위 → ____________

2 다음 우리말과 일치하도록 보기에서 알맞은 단어를 골라 쓰세요.

like	passengers	air	earthquake	between

01 너는 지진에 관한 뉴스 들었니?
→ Did you hear the news about the ____________?

02 버스에 약 30명의 승객이 있다.
→ There are about 30 ____________ on the bus.

03 11월은 10월과 12월 사이에 있다.
→ November is ____________ October and December.

중요문법 요점정리

▶ 앞에서 배운 방향 전치사, 시간 전치사, 위치 전치사 외에 다양한 전치사가 있습니다.

________	+ 사물	~에 관하여	about	+ 숫자	________
________	+ 사람	~과 함께	with	+ 사물	~을 가지고(이용해서)
for	+ 사람	~을 위해	________	+ 시간	~ 동안
________	+ 시간	~까지	by	+ 사람/사물	~ 곁에
________	~ 사이에서		________	(3명 이상) ~ 사이에서 / 중에서	
________	~ 없이		________	~처럼, ~와 닮아	
________	~ 동안에 (특정 기간)				

Vocabulary

다음 단어를 3번씩 더 쓰세요.

	단어	뜻	쓰기
01	arrive	도착하다	arrive
02	be over	끝나다	be over
03	bus stop	버스 정류장	bus stop
04	busy	바쁜	busy
05	call	전화	call
06	enter	들어가다	enter
07	free	한가한	free
08	go outside	외출하다	go outside
09	healthy	건강한	healthy
10	late	늦은	late
11	meal	식사	meal
12	noise	소음	noise
13	pianist	피아니스트	pianist
14	question	질문	question
15	ready	준비된	ready
16	restaurant	식당	restaurant
17	shower	샤워	shower
18	stay	머물다	stay
19	thin	마른	thin
20	warm up	준비 운동하다	warm up

1 다음 우리말 뜻에 해당하는 영어 단어를 쓰세요.

01 들어가다 → ______________
02 도착하다 → ______________
03 소음 → ______________
04 식사 → ______________
05 질문 → ______________
06 마른 → ______________
07 피아니스트 → ______________
08 버스 정류장 → ______________
09 바쁜 → ______________
10 외출하다 → ______________
11 끝나다 → ______________
12 늦은 → ______________

2 다음 우리말과 일치하도록 보기에서 알맞은 단어를 골라 쓰세요.

shower	free	ready	warm up	healthy

01 너는 샤워한 후에 잠을 잤니?
→ Did you go to bed after you took a ______________?

02 너는 운동하기 전에 준비 운동을 해야 한다.
→ You have to ______________ before you play sports.

03 샌디는 말랐지만 건강하다.
→ Sandy is thin but ______________.

중요문법 요점정리

▶ 접속사 and, but, or는 단어와 ______________, 구와 ______________, 그리고 문장과 ______________ 등을 모두 연결할 수 있습니다

▶ after, before, until은 전치사 또는 접속사로 사용될 수 있습니다. ______________로 사용되는 경우에는 뒤에 명사가 와야 하고, ______________로 사용되는 경우에는 뒤에 ______________이 와야 합니다.

▶ if는 '______________ ~하면'이란 의미의 ______________을 나타내며, 문장과 문장을 연결합니다.

▶ 접속사 ______________는 '그래서', '그 결과'라는 의미로 so가 이끄는 문장은 결과를 나타내며, ______________는 '때문에'라는 의미로 because가 이끄는 문장은 원인을 나타냅니다.

Vocabulary Workbook Answers

Chapter 01

1 01 draw 02 myself 03 camp 04 hurt
05 people 06 enjoy 07 woman 08 accident
09 problem 10 cut 11 clean 12 shave

2 01 glass 02 solved 03 introduce

중요문법 요점정리
- 재귀대명사 / 자신 / myself / yourself / itself / ourselves / themselves
- 목적어
- 생략

Chapter 02

1 01 weekend 02 need 03 better 04 floor
05 cheese 06 lend 07 expensive 08 delicious
09 plate 10 speak 11 Chinese 12 umbrella

2 01 Internet 02 bakery 03 puppies

중요문법 요점정리
- 부정대명사
- one / 불특정한 / 단수명사 / 복수명사
- some / any

Chapter 03

1 01 people 02 mine 03 lamp 04 menu
05 wife 06 bottle 07 draw 08 hate
09 both 10 receive 11 player 12 each

2 01 sleepy 02 present 03 handsome

중요문법 요점정리
- all / 대명사 / 형용사
- both
- each / 명사
- 서로

Chapter 04

1 01 flower 02 garden 03 tomato 04 others
05 throw 06 orange 07 summer 08 pet
09 another 10 parking lot 11 children 12 stage

2 01 twins 02 library 03 a lot of

중요문법 요점정리
- another / 단수명사
- the other / others / another / others / the others

Chapter 05

1 01 city 02 draw 03 picture 04 math
05 spicy 06 river 07 believe 08 dream
09 dangerous 10 invite 11 finish 12 popular

2 01 difficult 02 hobby 03 exciting

중요문법 요점정리
- 동사원형 / 주어 / 목적어 / 보어
- ing / calling / e / coming / y / lying / 자음 / sitting

Chapter 06

1 01 please 02 diary 03 plan 04 machine
05 learn 06 know 07 believe 08 building
09 hope 10 goal 11 decide 12 first

2 01 station 02 vegetables 03 every day

중요문법 요점정리
- 동사원형 / 명사 / 형용사 / 부사
- 동명사
- to부정사 / 목적어 / what / when / where / how

Chapter 07

1 01 again 02 arrive 03 mind 04 abroad
05 give up 06 travel 07 agree 08 motorcycle
09 expect 10 practice 11 hate 12 promise

2 01 until 02 decided 03 lesson

중요문법 요점정리
▶ 동명사
▶ enjoy / stop / practice / finish / mind
▶ want / hope / promise / decide / expect / agree
▶ like / hate / start / continue

Chapter 08

1 01 tired 02 present 03 air 04 order
05 free 06 change 07 together 08 picnic
09 fresh 10 waste 11 stay 12 weekend

2 01 tomorrow 02 crowded 03 thirsty

중요문법 요점정리
▶ 제안문
▶ 동사원형 / not
▶ 동명사 / we
▶ you

Chapter 09

1 01 cross 02 pool 03 hand 04 excite
05 leaf 06 fall 07 story 08 bark
09 cute 10 rising 11 glasses 12 plane

2 01 mosquito 02 baby 03 boring

중요문법 요점정리
▶ 형용사 / 현재분사 / 과거분사
▶ 꾸며주는 / 보충 설명 / 앞 / 뒤 / 주어

Chapter 10

1 01 leaf 02 people 03 drunk 04 fish
05 hill 06 soccer 07 driver 08 covered
09 dried 10 interesting 11 hear 12 street

2 01 roof 02 fried 03 movie

중요문법 요점정리
▶ 수동
▶ 현재분사 / 과거분사
▶ broken / stolen / written / fallen / made / lost

Chapter 11

1 01 discover 02 hit 03 change 04 cut
05 borrow 06 written 07 glove 08 novel
09 slowly 10 park 11 drive 12 send

2 01 walks 02 telephone 03 letter

중요문법 요점정리
▶ 능동태 / 수동태
▶ (1) 목적어 (2) 시제 (3) 과거분사 / be동사 (4) 주어

Chapter 12

1 01 paint 02 invite 03 thief 04 phone
05 break 06 bridge 07 bicycle 08 direct
09 bake 10 rock 11 respect 12 change

2 01 packages 02 injured 03 prepare

중요문법 요점정리
▶ not
▶ Be동사 (1) 목적어 (2) 앞 (3) 과거분사 (4) 목적격

Chapter 13

1 01 typhoon 02 change 03 believe 04 go out
05 know 06 umbrella 07 liar 08 stay
09 tired 10 about 11 exercise 12 truth

2 01 order 02 again 03 tonight

중요문법 요점정리
- 일반동사 / 동사원형
- 동사원형
- 명사 / 제안
- 동사원형 / not

Chapter 14

1 01 invite 02 sunglasses 03 toothbrush
04 start 05 depart 06 airport
07 smartphone 08 pick up 09 pay
10 help 11 evening 12 Korean

2 01 traveling 02 celebrate 03 noon

중요문법 요점정리
- would
- What time
- can
- 조동사 / 동사원형 / attend

Chapter 15

1 01 air 02 nap 03 during
04 hour 05 India 06 choose
07 dollar 08 sometimes 09 parents
10 fool 11 festival 12 scissors

2 01 earthquake 02 passengers 03 between

중요문법 요점정리
- about / 대략 / with / for / by / between / among / without / like / during

Chapter 16

1 01 enter 02 arrive 03 noise 04 meal
05 question 06 thin 07 pianist 08 bus stop
09 busy 10 go outside 11 be over 12 late

2 01 shower 02 warm up 03 healthy

중요문법 요점정리
- 단어 / 구 / 문장
- 전치사 / 접속사 / 문장
- 만약 / 조건
- so / because

Longman

GRAMMAR HOUSE

초등영문법

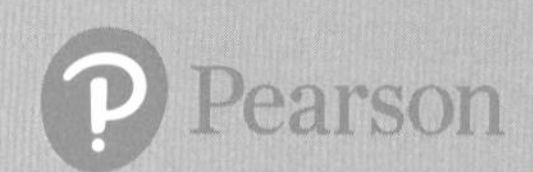

Answers

Chapter 01 재귀대명사

Practice 1 p.7

1 01 myself 02 himself 03 herself
04 themselves 05 ourselves 06 by herself
07 himself 08 himself

Practice 2 p.8

1 01 himself 02 ourselves 03 myself
04 himself 05 herself 06 themselves
07 himself 08 yourself 09 himself
10 himself 11 himself 12 yourself

Practice 3 p.9

1 01 ○ 02 ○ 03 × 04 ×
05 ○ 06 ×

해석 및 해설

01 우리는 그 방을 직접 청소할 것이다.
*강조용법으로 쓰인 재귀대명사는 생략할 수 있습니다.
02 나는 직접 화재에서 사람들을 구했다.
*강조용법으로 쓰인 재귀대명사는 생략할 수 있습니다.
03 나의 어머니는 깨진 유리에 그 자신이 베었다.
04 그는 그 자신을 거울로 보았다.
05 나의 누나는 직접 그 쿠키들을 구웠다.
*강조용법으로 쓰인 재귀대명사는 생략할 수 있습니다.
06 제인은 자신에 대한 책을 썼다.

2 01 enjoy themselves 02 by myself
03 herself 04 himself
05 help yourself

Practice 2 p.12

1 01 any 02 any 03 some 04 one
05 one 06 them 07 Some 08 any
09 any 10 ones

Practice 3 p.13

1 01 one 02 It 03 one 04 any
05 one 06 any 07 Some 08 some
09 any 10 them

해석 및 해설

01 A: 어느 것이 네 가방이니?
B: 노란 거.
02 A: 그 영화 어땠어?
B: 매우 지루했어.
03 A: 쇼핑몰에 빵집이 있니?
B: 응, 2층에 하나 있어.
04 A: 너는 그의 노래들을 좋아하니?
B: 아니, 그의 노래는 아무것도 좋아하지 않아.
05 A: 이 컴퓨터는 비싸요. 더 싼 거 있나요?
B: 예. 저기에 더 싼 것들이 있어요.
06 A: 접시 위에 치즈가 좀 있니?
B: 아니, 조금도 없어.
07 A: 그들은 한국에서 왔니?
B: 아니. 그들 중 일부는 일본에서 왔어.
08 A: 내가 쿠키를 좀 구웠어요. 좀 드실래요?
B: 오, 고마워요.
09 A: 그녀는 남자형제가 좀 있니?
B: 응, 그녀는 둘 있어.
10 A: 너는 쇼핑몰에서 그 신발을 샀니?
B: 아니, 나는 인터넷에서 그것들을 샀어.

Chapter 02 부정대명사 I

Practice 1 p.11

1 01 ones 02 some 03 one 04 it
05 Some 06 any 07 some 08 one
09 any 10 them 11 ones 12 any

Chapter 03 부정대명사 II

Practice 1 p.15

1 01 All 02 Each 03 Both
04 Each 05 all 06 Both
07 each other 08 All 09 All
10 each other 11 Each 12 both

Practice 2 p. 16

1
01 Both 02 All 03 Each
04 both 05 all 06 each other
07 Each 08 Both 09 each
10 All

Practice 3 p. 17

1
01 그 교실의 모든 학생들이 과학을 좋아한다.
02 어린이 둘 모두 피곤하고 졸리다.
03 그녀의 친구 모두가 어제 동물원에 갔다.
04 그 두 소년들은 서로 미워한다.
05 그와 그의 아내 둘 다 한국 음식을 좋아한다.
06 그녀의 친구 둘 다 음악 듣는 것을 좋아한다.
07 그들은 각각 자신의 자동차가 있다.
08 각 병 안에 있는 모든 물이 깨끗하다.
09 나의 부모님 두 분 모두 낚시를 좋아하신다.
10 나의 모든 친구들이 파티에 갔다.
11 그 방에 있는 각 소녀는 자신의 스마트폰을 가지고 있다.
12 나는 메뉴판에 있는 모든 음식을 좋아한다.

Chapter  04 부정대명사 Ⅲ

Practice 1 p. 19

1
01 others 02 another 03 the other
04 the others 05 one another 06 the others
07 the others 08 another

Practice 2 p. 20

1
01 the other 02 one another 03 another
04 One / the other 05 the others 06 the other
07 the other 08 the others 09 others
10 the others

Practice 3 p. 21

1
01 커피 한 잔 더 주세요.
02 일부 학생들은 영어를 좋아하지만 몇몇 학생들은 싫어한다.
03 다른 사람들에게 친절해라.
04 일부 사람은 사과를 좋아하고 나머지 사람 모두는 오렌지를 좋아한다.
05 샘은 누나가 두 명 있다. 한 명은 17살이고 다른 한 명은 15살이다.

2
01 the other 02 another 03 others
04 the others 05 another

Review Test 1 p. 22

01 ③ 02 ③ 03 ② 04 ④ 05 ①
06 ④ 07 ③ 08 ② 09 ① 10 ⑤
11 ① 12 ② 13 ③ 14 each other
15 others 16 ⑤ 17 ④ 18 ② 19 ①
20 ④ 21 ④ 22 ② 23 ③ 24 herself
25 yourself 26 ones 27 another
28 Both 29 each 30 the others

해석 및 해설

01 *they의 재귀대명사는 themselves입니다.
02 그는 영어로 우리에게 자기소개를 했다.
03 그녀는 거울로 자신을 봤다.
04 ① 그녀는 혼자 힘으로 상자를 만들었다.
② 그 개는 물에서 자신을 보았다.
③ 그 나이 든 여자는 혼자 살았다.
④ 나는 앤디 김 그를 직접 만났다.
⑤ 그 소년은 사고로 화상을 입었다.
*강조용법의 재귀대명사는 생략이 가능합니다.
05 에이미는 그녀의 가방을 잃어버렸고 새것을 샀다.
*특정하지 않은 bag을 가리키므로 one이 옵니다.
06 너는 형제자매가 좀 있니?
07 그 컴퓨터는 문제가 좀 있다.
08 A: 무엇을 원하나요?
B: 빵을 좀 원해요. 빵이 있나요?
09 A: 쇼핑몰에 빵집이 있나요?
B: 예, 2층에 하나 있어요.
13 나는 가방 두 개를 샀다. 하나는 흰색이고 다른 하나는 빨간색이다.
16 나는 남동생이 둘 있다. 한 명은 11살이고 다른 한 명은 13살이다.
17 나는 사과 다섯 개가 있다. 하나는 빨간색이고 나머지들은 초록색이다.
18 방에 학생 세 명이 있다. 한 명은 일본에서, 또 한 명은 한국에서, 그리고 나머지 한 명은 영국에서 왔다.
21 ① 나는 직접 설거지를 했다.
② 나는 책이 하나도 없다.
③ 내 친구들 모두는 남자친구가 있다.
⑤ 너는 바나나가 좀 필요하니?
*권유를 나타낼 때는 some을 사용합니다.
22 네 삼촌은 혼자서 사시니?
23 A: 너는 그의 노래를 좋아하니?
B: 아니, 나는 그의 노래를 하나도 좋아하지 않아.
26 A: 나는 신발을 찾고 있어요.
B: 이 갈색은 어때요?
30 방에 고양이 네 마리가 있다. 하나는 검은색이고 나머지들은 갈색이다.

Chapter 05 동명사

Practice 1 p. 27

1
01 보어　02 주어　03 보어
04 주어　05 주어　06 목적어
07 (전치사) 목적어　08 보어　09 주어
10 목적어　11 주어　12 목적어

Practice 2 p. 28

1
01 talking　02 Keeping　03 eating
04 swimming　05 going　06 playing
07 singing　08 Watching　09 becoming
10 inviting

Practice 3 p. 29

1
01 likes swimming in the sea
02 good at drawing pictures
03 Living in the city is
04 finish cleaning the room
05 becoming a police officer
06 Reading books is
07 is selling shoes
08 stopped smoking
09 finished reading the letter
10 playing tennis this afternoon
11 like eating spicy food
12 is cleaning windows

Chapter 06 to부정사

Practice 1 p. 31

1
01 보어　02 목적어　03 보어　04 주어
05 목적어　06 주어　07 목적어　08 보어
09 주어　10 목적어　11 보어　12 목적어

Practice 2 p. 32

1
01 to see　02 to buy　03 to make
04 To watch　05 to master

2
01 how to make　02 what to do　03 how to use
04 where to park　05 when to go

Practice 3 p. 33

1
01 is to read books
02 wants to go to the movies
03 hopes to be a nurse
04 is to sell vegetables
05 planned to buy a new car
06 knows how to swim
07 To play computer games is
08 is to become a scientist
09 To keep a diary every day
10 decided to go there
11 how to get to the station
12 what to eat for dinner

Chapter 07 동사+동명사 / 동사+to부정사

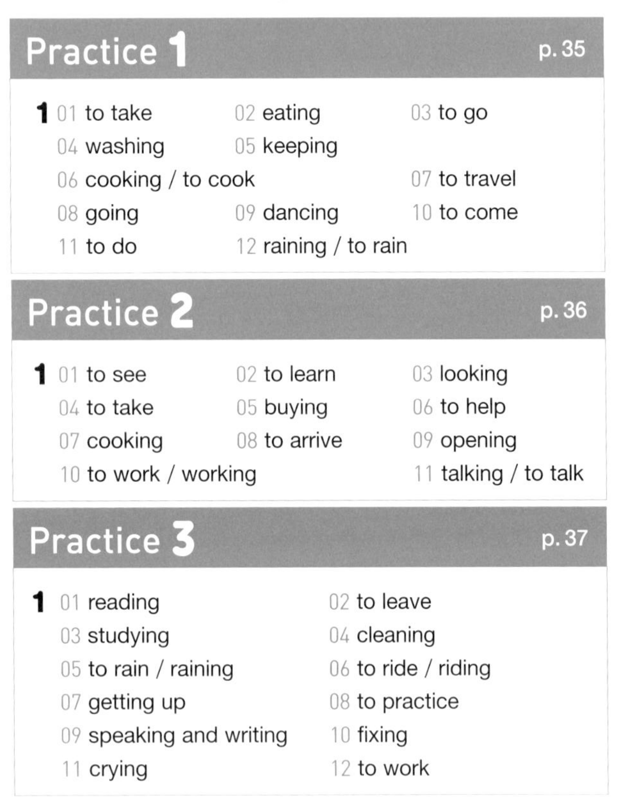

Practice 1 p. 35

1
01 to take　02 eating　03 to go
04 washing　05 keeping
06 cooking / to cook　07 to travel
08 going　09 dancing　10 to come
11 to do　12 raining / to rain

Practice 2 p. 36

1
01 to see　02 to learn　03 looking
04 to take　05 buying　06 to help
07 cooking　08 to arrive　09 opening
10 to work / working　11 talking / to talk

Practice 3 p. 37

1
01 reading　02 to leave
03 studying　04 cleaning
05 to rain / raining　06 to ride / riding
07 getting up　08 to practice
09 speaking and writing　10 fixing
11 crying　12 to work

Chapter 08 제안/권유 표현

Practice 1 p. 39

1 01 Let's　02 Let's　03 Why don't you
04 Let's not　05 Let's not　06 taking
07 drink　08 Let's　09 Let's not

Practice 2 p. 40

1 01 Let's meet at the café tomorrow.
02 How about going hiking tomorrow?
03 Let's not swim in the river.
04 Let's not play computer games today.
05 Let's buy a present for him.
06 Why don't you buy some apples for her?
07 How about going skating now?
08 Why don't we go on a picnic tomorrow?
09 Let's play basketball this weekend.
10 Let's not make noise.
11 Why don't we go swimming now?
12 Why don't you stay at the hotel?

해석 및 해설

01 내일 카페에서 만나자.
02 내일 하이킹 가는 거 어때?
03 강에서 수영하지 말자.
04 오늘 컴퓨터 게임하지 말자.
05 그를 위해 선물을 사자.
06 너는 그녀를 위해 사과를 좀 사는 거 어때?
07 지금 스케이트 타러 가는 거 어때?
08 내일 소풍 가는 거 어때?
09 이번 주말에 농구하자.
10 시끄럽게 하지 말자.
11 지금 수영하러 가는 거 어때?
12 너는 호텔에서 머무는 게 어때?

Practice 3 p. 41

1 01 Let's sing　02 How / meeting
03 Let's not change　04 How / having
05 Why / you stay　06 Why don't / go

2 01 Let's　02 Let's　03 Let's not
04 Let's not　05 Let's　06 Let's

해석 및 해설

01 지금 비가 오고 있다. 집에 있자.
02 오늘은 샘의 생일이다. 파티를 하자.
03 우리는 물이 많지 않다. 물을 낭비하지 말자.
04 그 아기는 자고 있다. 시끄럽게 하지 말자.
05 우리는 신선한 공기가 필요하다. 산책하자.
06 우리는 늦었다. 택시를 타자.

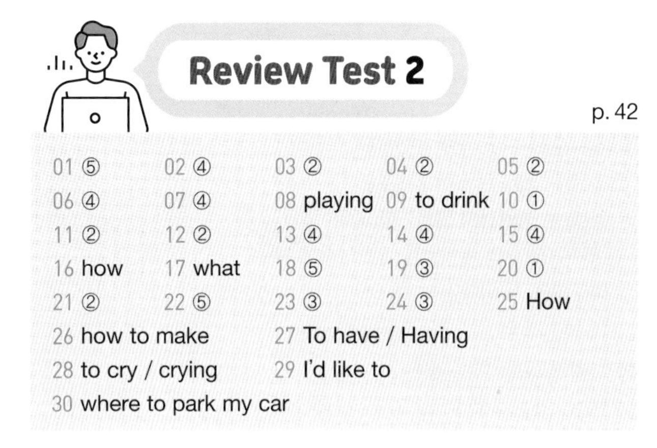

Review Test 2

p. 42

01 ⑤　02 ④　03 ②　04 ②　05 ②
06 ④　07 ④　08 playing　09 to drink　10 ①
11 ②　12 ②　13 ④　14 ④　15 ④
16 how　17 what　18 ⑤　19 ③　20 ①
21 ②　22 ⑤　23 ③　24 ③　25 How
26 how to make　27 To have / Having
28 to cry / crying　29 I'd like to
30 where to park my car

해석 및 해설

01 야구하는 것은 재미있다.
① 너는 노래하는 것을 좋아하니?
② 늦어서 미안하다.
③ 나는 아침에 조깅하는 것을 좋아한다.
④ 그는 지난달에 흡연을 그만뒀다.
⑤ 수학 문제 푸는 것은 어렵다.
*보기에서 동명사는 주어 역할을 하고 있습니다.

02 나의 취미는 음악 듣는 것이다.
① 우리는 달리기를 좋아하지 않는다.
② 그 소년들은 축구하는 것을 마쳤다.
③ 영어 배우는 것은 쉽지 않다.
④ 나의 일은 건물을 디자인하는 것이다.
⑤ 샘은 바다에서 수영하는 것을 좋아한다.
*보기에서 동명사는 보어 역할을 하고 있습니다.

03 그녀는 어제 기타 연주를 즐겼다.
나는 컴퓨터 게임하는 것을 좋아한다.

04 나는 피자 만드는 것에 관심 있다.
나를 초대해 주셔서 감사합니다.

05 ① 나는 울타리 페인트 칠을 마쳤다.
② 그의 취미는 동물 사진을 찍는 것이다.
③ 제니는 꽃에 계속 물을 준다.
④ 그들은 파티에서 춤을 멈췄다.
⑤ 조지는 여행 가는 것을 즐긴다.
*동명사는 주어, 목적어, 보어 역할을 합니다.

06 나의 꿈은 의사가 되는 것이다.
① 너는 책 읽는 것을 좋아하니?
② 자전거 타는 것은 재미있다.
③ 나는 서울을 방문하기로 결심했다.
④ 나의 계획은 이 숙제를 마치는 것이다.
⑤ 나는 농구선수가 되고 싶다.
*보기의 to부정사는 보어 역할을 하고 있습니다.

07 나는 직장을 갖고 싶다.
① 보는 것이 믿는 것이다.
② 그녀의 계획은 새 컴퓨터를 사는 것이다.
③ 나의 꿈은 가수가 되는 것이다.

④ 나의 형은 그 클럽 가입을 결정했다.
⑤ 전 세계 여행을 하는 것은 시간이 많이 걸린다.
*보기의 to부정사는 목적어 역할을 하고 있습니다.

08 그녀는 피아노 연습을 했다.

09 너는 물을 더 많이 마실 필요가 있다.

10 *to부정사를 목적어로 취하지 않는 동사를 고르세요.

11 *동명사를 목적어로 취하지 않는 동사를 고르세요.

12 ① 나는 지금 저녁을 먹고 싶지 않다.
③ 나는 음악을 듣기를 원한다.
④ 그는 강에서 수영을 잘한다.
⑤ 그는 공원까지 달리기를 좋아한다.
*동사 mind는 목적어로 동명사가 옵니다.

20 야구하는 게 어때?

21 너 피곤해 보인다. 휴식하는 게 어때?

22 그림 동아리에 가입하는 게 어때?

23 *동사 plan은 목적어로 to부정사가 옵니다.

24 ① 그는 쿠키를 잘 만든다.
② 나는 혼자 사는 것이 싫다.
④ 조깅은 네 건강에 좋다.
⑤ 나의 목표는 선생님이 되는 것이다.
*[의문사+to 동사원형]의 형태가 되어야 합니다.

25 오늘 내 생일이야. 외식하는 거 어때?

29 A: 컴퓨터 게임하는 거 어때?
B: 그러고 싶은데 나는 숙제를 끝내야 해.

Chapter 09 현재분사

Practice 1 p. 47

1 01 달리는 개 02 우는 소년
03 놀라운 뉴스 04 미소 짓는 소년
05 소파에 앉아 있는 남자 06 피자를 만드는 여자
07 지루한 경기 08 춤추는 소녀
09 날아가는 새 10 떨어지는 나뭇잎들
11 소파에서 자는 고양이 12 책을 읽는 소년
13 떠오르는 태양 14 구르는 돌
15 영화를 보는 여자

Practice 2 p. 48

1 01 a sleeping baby 02 a burning house
03 a walking girl 04 a flying plane
05 falling leaves 06 an exciting game
07 the boy playing the piano
08 the man crossing the street
09 a singing boy 10 a cleaning man
11 the student reading a book
12 a rolling ball 13 a barking dog
14 the car running on the road
15 the girl wearing glasses

Practice 3 p. 49

1 01 sitting 02 crying 03 rising
04 dancing 05 amazing 06 swimming
07 boring 08 shouting 09 smiling
10 flying

Chapter 10 과거분사

Practice 1 p. 51

1 01 interesting 02 interested 03 lost
04 shocking 05 bored 06 exciting
07 surprised

Practice 2 p. 52

1 01 낙엽들 02 훔친 차
03 초대된 사람들 04 술 취한 운전자
05 튀긴 닭 06 삶은 계란
07 영어로 쓰인 책 08 한국에서 만들어진 자동차
09 언덕 위에 지어진 건물 10 불타버린 집
11 눈물로 가득 찬 눈 12 눈으로 덮인 도로
13 구운 감자 14 건조된 생선
15 끓인 물

Practice 3 p. 53

1 01 fallen / falling 02 used / using
03 excited / exciting 04 surprised / surprising
05 boring / bored

해석 및 해설

01 지붕이 낙엽으로 덮였다. / 떨어지는 낙엽을 보아라.

02 나는 아들에게 중고차를 사줬다. / 너는 컴퓨터를 사용하고 있는 소년을 아니?

03 그녀는 그 경기에 신나했다. / 그 경기는 매우 흥미로웠다.

04 그녀는 그에 관한 뉴스에 놀랐다. / 나는 놀라운 뉴스가 좀 있다.

05 그 영화는 지루했다. / 그는 그 영화에 지루해 했다.

2 01 그녀는 매우 놀라운 소식을 들었다.
02 그녀는 그녀의 잃어버린 가방을 찾았다.
03 그 방이 꽃들로 가득 찼다.
04 나는 어젯밤 재미있는 영화를 보았다.
05 너는 튀긴 음식을 좋아하니?

Chapter 11 수동태 I

Practice 1 p. 55

1 01 수동태 02 수동태 03 수동태
04 능동태 05 수동태 06 능동태
07 수동태 08 능동태 09 능동태
10 수동태

해석 및 해설

01 해리포터는 조앤 롤링에 의해 쓰였다.
02 전화기는 벨에 의해 발명됐다.
03 그 창문은 톰에 의해 깨졌다.
04 그는 장갑을 잃어버렸다.
05 그 자전거는 그에 의해 고쳐졌다.
06 앨리스는 방과 후에 숙제를 한다.
07 제임스는 많은 친구들에게 도움을 받는다.
08 나의 아빠는 천천히 운전하신다.
09 그녀는 이 편지를 썼다.
10 미국은 콜럼버스에 의해 발견되었다.

Practice 2 p. 56

1 01 The room / me 02 He / the girl
03 The house / us 04 The book / Sally
05 The vase / Cathy 06 The dog / Sam
07 The box / Alice 08 My bag / her
09 We / Jones 10 The cookies / them
11 That car / John 12 The pizza / them

Practice 3 p. 57

1 01 That picture was painted by him.
02 The computer is used by us.
03 This novel was written by her.
04 The car was washed by my dad.
05 This letter was sent by Mike.
06 The ball was hit by Tom.
07 My plan was changed by him.
08 These cups were broken by me.
09 This new bicycle was bought by my sister.
10 The cake was cut by her.
11 Her car was parked in the parking lot by her.
12 His dog was found by him.

Chapter 12 수동태의 부정문과 의문문

Practice 1 p. 59

1 01 The room isn't[is not] cleaned by me.
02 He wasn't[was not] loved by the girl.
03 The house wasn't[was not] built by us.
04 The book wasn't[was not] read by Sally.
05 The window wasn't[was not] broken by Mike.
06 The dog isn't[is not] walked by Sam every day.
07 The box wasn't[was not] moved by Alice.
08 The letter wasn't[was not] written by her.
09 We weren't[were not] helped by them yesterday.
10 The cookies weren't[were not] baked by them.
11 That bicycle wasn't[was not] fixed by John.
12 The pizza wasn't[was not] made by them.

Practice 2 p. 60

1 01 Was that computer used by him?
02 Was this TV fixed by you?
03 Was the plan changed by her?
04 Were they invited to the party by you?
05 Was that watch bought by him?
06 Was the phone used by Alice?
07 Were these books borrowed by her?
08 Was the door painted by him?
09 Was this party prepared by them?
10 Were the packages checked by him?
11 Was this cake made by Julie?
12 Was your bag found by Cathy?

Practice 3 p. 61

1 01 is not[isn't] read
02 was not[wasn't] written
03 was not[wasn't] put
04 was not[wasn't] directed
05 was not[wasn't] painted
06 Were / helped 07 Was / built
08 Was / hit 09 Was / respected
10 Were / injured 11 Were / baked
12 Was / caught

Review Test 3

p. 62

01 ② 02 ③ 03 ③ 04 ③ 05 ①
06 ④ 07 ④ 08 ③ 09 fallen 10 reading
11 fried 12 ① 13 ③ 14 ⑤ 15 ⑤
16 ⑤ 17 ④ 18 was made
19 were written 20 ⑤ 21 ④ 22 ③
23 ④ 24 surprised 25 covered
26 Computers are used by a lot of people.
27 Was the cake bought by him?
28 The bicycle was fixed by my dad.
29 This book was not written by her.
30 수영장에서 수영하는 남자는 나의 아빠다.

해석 및 해설

01 *run의 현재분사형은 running입니다.
02 *catch는 과거분사형은 caught입니다.
03 바이올린을 연주하는 소녀는 내 여동생이다.
04 그 야구경기는 흥미진진했다.
05 ① 캐시는 노래하는 것을 좋아한다.
② 나는 짖고 있는 개가 무섭다.
③ 저 춤추는 곰이 귀엽다.
④ 너는 뛰고 있는 남자를 아니?
⑤ 그 자고 있는 아이는 사랑스럽다.
*현재분사와 동명사를 구분해 보세요.
06 그는 잃어버린 개를 찾았다.
07 구운 감자를 좀 먹을 수 있나요?
08 그 산은 눈으로 덮여 있다.
12 그녀는 나에게 재미있는 이야기를 했다.
너는 한국 문화에 관심이 있니?
13 ① 샘은 나에게 질문했다.
② 제임스는 새 컴퓨터를 샀다.
③ 도둑은 경찰에 의해 잡혔다.
④ 그는 그녀에게 꽃을 좀 보냈다.
⑤ 그는 잡지를 읽고 있다.
14 전화기는 1876년에 벨에 의해서 발명되었다.
15 그 창문들은 폴에 의해 깨졌다.
16 영어는 캐나다에서 말해진다.
17 데이비드는 그 그림을 칠하지 않았다.
18 그 피자는 어제 그녀에 의해서 만들어졌다.
19 그 엽서들은 지난밤에 에이미에 의해서 쓰였다.
20 너는 저 컴퓨터를 사용했니?
21 네가 이것을 했니?
22 저 다리는 2018년에 그들에 의해서 만들어지지 않았다.
23 ① 이 케이크들은 신디에 의해서 만들어졌다.
② 그녀는 그에게 아름다운 꽃들을 받았다.
③ 그 식탁은 테드에 의해 옮겨졌다.
⑤ 이 음악은 베토벤에 의해 창조되었다.
24 그녀는 그 뉴스에 놀랐다.
25 지붕이 눈으로 덮였다.
26 많은 사람들이 컴퓨터를 사용한다.
27 그가 그 케이크를 샀니?

Chapter 13 조동사 – would like to / had better

Practice 1

p. 67

1 01 to order 02 some tea 03 take
04 better not 05 to have 06 not go
07 stay 08 like to

Practice 2

p. 68

1 01 Would you like to order now?
02 I'd like to know more about you.
03 You had better go there.
04 He had better not see her again.
05 Would you like some coffee?

2 01 had better 02 had better
03 had better not 04 had better
05 had better not 06 had better
07 had better not

해석 및 해설

01 너는 비가 그칠 때까지 여기 있는 게 좋겠다.
02 너는 피곤해 보인다. 오늘 집에 있는 게 좋겠다.
03 샘은 거짓말쟁이다. 너는 그를 믿지 않는 게 좋겠다.
04 너는 금연하는 게 좋겠다. 네 건강에 좋지 않다.
05 또 다른 태풍이 오고 있기 때문에 너는 오늘 밤에 밖에 나가지 않는 게 좋겠다.
06 너는 우산을 가져가는 게 좋겠다. 비가 올 것이다.
07 너는 지금 차를 마시지 않는 게 좋겠다. 너무 덥다.

Practice 3

p. 69

1 01 Would you like some cookies?
02 would like to have dinner with you
03 Would you like to have lunch
04 would like to change my room
05 He had better not work late
06 had better not go out tonight
07 would like to meet you again
08 had better exercise for your health
09 would like some pizza for lunch
10 Would you like to come to
11 had better go home now
12 had better tell him the truth

Chapter 14 [의문사+조동사]로 묻고 대답하기

Practice 1 p.71

1
01 would 02 What 03 Where 04 like to
05 would 06 can 07 What 08 How
09 go 10 would 11 will 12 Who

Practice 2 p.72

1
01 무엇을 사고 싶으세요?
02 그것을 어떻게 보내고 싶으세요?
03 언제 저녁식사를 하고 싶으세요?
04 몇 시에 나를 데리러 올 수 있니?
05 어디를 방문하고 싶으세요?
06 내일 무엇을 하고 싶으세요?
07 어디서 택시를 탈 수 있니?
08 우리는 언제 다시 여행할 수 있니?
09 무엇을 도와 드릴까요?
10 누구를 초대하고 싶으세요?
11 그곳에 어떻게 가고 싶으세요?
12 누가 한국어를 할 수 있니?

Practice 3 p.73

1
01 James can speak English well.
02 I'd like to go there by train.
03 I'd like to go shopping.
04 I'd like to go to the zoo.
05 Who would you like to speak to?
06 Where can I buy some flowers?
07 You can have breakfast at 8.
08 Who will take care of the baby?
09 I will be back next Sunday.
10 I'd like to pay in cash.
11 I'd like to have pizza.
12 How can I help you?

해석 및 해설

01 A: 누가 영어로 잘 말하니?
02 A: 어떻게 거기에 가고 싶으세요?
03 A: 방과 후에 무엇을 하고 싶으세요?
04 A: 오늘 어디에 가고 싶으세요?
05 B: 나는 제임스와 말하고 싶어요.
06 B: 2층에 꽃가게가 있어.
07 A: 아침은 몇 시에 먹을 수 있니?
08 B: 내가 할게.
09 A: 언제 너를 다시 볼 수 있니?
10 A: 결제는 어떻게 해 드릴까요?
11 A: 점심으로 무엇을 먹고 싶으세요?
12 B: 선글라스를 찾고 있어요.

Chapter 15 전치사 Ⅱ

Practice 1 p.75

1
01 for 02 about 03 like 04 with
05 among 06 without 07 for 08 with
09 like 10 during 11 about 12 by

Practice 2 p.76

1
01 among 02 for 03 about
04 by 05 with 06 between
07 like 08 about 09 during
10 without

Practice 3 p.77

1
01 나는 축제 동안 런던에 머물렀다.
02 그녀는 아프리카에 관한 책을 읽고 있다.
03 11월은 10월과 12월 사이에 있다.
04 토미는 그의 아버지처럼 행동한다.
05 우리는 인도에서 2년 동안 살았다.
06 우리는 공기 없이 살 수 없다.
07 그녀는 가위로 종이를 자르고 있다.
08 너는 그것들 중에서 하나를 선택하면 된다.
09 그녀는 친구들과 함께 동물원에 갔다.
10 이 선물은 나의 엄마를 위한 것이다.
11 한 소녀가 복사기 옆에 서 있다.
12 나는 약 20달러가 있다.

Chapter 16 접속사 Ⅲ

Practice 1 p.79

1
01 and 02 but 03 and 04 or

Practice 2 p.80

1
01 until 02 because 03 before
04 until 05 If 06 because of
07 but 08 or 09 so
10 until 11 after 12 when

Practice 3 p.81

1
01 before 02 when 03 after
04 but 05 so 06 if
07 because 08 When 09 before
10 because 11 until 12 or

Review Test 4

p. 82

01 ②	02 ④	03 ①	04 ④	05 ④
06 ①	07 ④	08 ⑤	09 ④	10 ①
11 between		12 by	13 ①	14 ⑤
15 ④	16 ②	17 ②	18 ③	19 ②
20 like	21 ③	22 ⑤	23 ⑤	24 What
25 Where		26 had better not go fishing		
27 그는 그의 아빠와 닮았다.			28 among	29 with
30 but				

해석 및 해설

01 나는 점심으로 국수를 먹고 싶다.

02 너는 피곤해 보인다. 오늘 집에 있는 게 좋겠다.
*had better는 '~하는 게 좋겠다'라는 의미입니다.

03 커피 드실래요?
*명사가 왔으므로 like가 옵니다.

04 저와 저녁식사 하실래요?

05 ① 그녀는 부모님과 함께 살고 있다.
② 샘은 키가 작지만 강하다.
③ 너는 집에 가는 게 좋겠다.
⑤ 나는 기타 치고 싶다.
*had better not 형태로 써야 합니다.

06 나는 쇼핑을 가고 싶다.

07 다음 주 월요일에 너희를 방문할 수 있다.

08 나는 기차로 거기에 가고 싶다.

09 오늘 어디에 가고 싶으세요?

10 누구와 얘기하고 싶으세요?

16 나는 두 시간 동안 영어공부를 했다.
나는 너를 위해 꽃을 좀 샀다.

18 ① 미쉘은 친구들 중에서 가장 키가 크다.
② 가위를 가지고 놀지 마라.
④ 무엇을 도와드릴까요?
⑤ 그녀는 엄마를 닮았다.
*숫자 앞에는 for를 쓰고 기간 앞에는 during을 씁니다.

19 ① 그녀는 내가 방에 들어갔을 때 자고 있었다.
② 나는 식사 전에 손을 씻었다.
③ 그는 샤워하고 난 후 자러 갔다.
④ 그들은 비가 와서 밖에 나가지 않았다.
⑤ 우리는 수영하고 싶어서 강에 갔다.
*전치사 다음에는 명사가 오고, 접속사 다음에는 주어 동사가 있는 문장이 옵니다.

25 A: 오늘 어디에 가고 싶으세요?
B: 동물원에 가고 싶어요.

26 너는 감기에 걸렸다. 너는 낚시를 가지 않는 편이 좋겠다.

30 그는 열심히 공부했지만 시험에 통과하지 못했다.

실전모의고사 1회

01 ⑤	02 ②	03 ④	04 ④	05 ③
06 ④	07 ③	08 taking	09 ②	10 ③
11 ⑤	12 ④	13 ④	14 made	15 ③
16 ①	17 그는 안경 없이는 읽을 수가 없다.			18 ①
19 ③	20 The doll was made by her.			

해석 및 해설

01 소개해 주실래요?

02 내 컴퓨터는 오래됐다. 나는 새 것이 필요하다.

03 그들은 서로 말하지 않는다.

05 방에 고양이 네 마리가 있다. 하나는 하얀색이고 나머지들은 검은색이다.

06 우리는 전 세계 여행하는 것에 대해 얘기했다.

07 그의 직업은 영어를 가르치는 것이다.

08 저녁식사 후에 산책하는 거 어때?

09 나는 어제 피아노 치는 것을 즐겼다.
나는 오늘 아침 축구하는 것을 포기했다.

10 *동명사를 취하지 않는 동사를 고르세요.

11 ① 그 경기는 흥미로웠다.
② 그녀는 그 공연에 흥분했다.
③ 그는 그 뉴스에 놀랐다.
④ 그 영화는 재미있었니?
*사물은 능동으로 표현합니다.

12 ① 보는 것이 믿는 것이다.
② 야구하는 것은 즐겁다.
③ 나의 취미는 우표 모으기다.
④ 무대에서 춤추고 있는 소녀들을 봐라.
⑤ 제인은 말 타는 것을 즐긴다.
*현재분사와 동명사를 구분해 보세요.

13 ① 전화기는 벨에 의해 발명되었다.
② 그 창문은 톰에 의해 열렸다.
③ 그 그림은 나의 아버지에 의해 칠해졌다.
⑤ 그 집은 나의 삼촌에 의해 지어졌다.
*write의 과거분사형은 written입니다.

14 그 차는 한국에서 만들어졌니?

15 나는 모자를 찾고 있다.

16 나는 제임스 씨를 만나고 싶다.

18 A: 한국어를 공부하는 게 어때?
B: 좋은 생각이야.

19 A: 한가할 때 무엇을 하니?
B: 나는 책을 읽어.

20 그녀는 인형을 만들었다.

실전모의고사 2회

01 ⑤	02 ⑤	03 ③	04 ⑤	05 ②
06 ⑤	07 ④	08 ④	09 ②	10 ②
11 ⑤	12 ③	13 ④	14 ⑤	15 ②
16 bored	17 ②	18 ⑤	19 after	

20 Was the plan changed by her?

해석 및 해설

01 제인은 자신을 무척 사랑했다.
그녀는 거울로 자신을 봤다.

02 나는 쿠키를 구웠다. 좀 드실래요?

03 제인과 테드는 나의 친구들이다. 둘 다 춤추는 것을 좋아한다.

04 나는 가방이 두 개 있다. 하나는 빨간색이고 다른 하나는 노란색이다.

07 ① 한국어를 배우는 것은 쉽지 않다.
② 나는 기타 치는 것을 좋아한다.
③ 너는 수영하는 것을 즐겼니?
④ 그는 지금 저녁을 먹고 있다.
⑤ 설거지하는 것은 즐겁다.
*진행형과 동명사를 구분해 보세요.

08 ① 너는 왜 야구하는 것을 좋아하니?
② 내 일은 그들에게 수학을 가르치는 것이다.
③ 나의 취미는 독서다.
④ 노래하는 새들을 봐라.
⑤ 기차로 여행하는 것은 즐겁다.
*현재분사와 동명사를 구분해 보세요.

10 A: 그 경기는 흥미로웠니?
B: 응, 그래. 나는 경기에 무척 흥분했어.

11 비가 오고 있다. 오늘 집에 있는 것이 어때?

12 ① 나는 그 책을 사기로 결정했다.
② 우리는 박물관에 가기를 원한다.
③ 나의 꿈은 작가가 되는 것이다.
④ 그는 선생님이 되기를 희망한다.
⑤ 나는 쿠키 굽는 것을 좋아한다.
*to부정사는 문장에서 주어, 목적어, 보어 역할을 할 수 있습니다.

13 그러고 싶은데 그럴 수 없어.

14 나는 야구를 하고 싶어.

15 너는 피곤해 보인다. 쉬는 게 어때?

16 그는 영화가 지루했다.

18 그림 동아리에 가입하는 게 어때?

19 나는 8시에 아침을 먹는다. / 나는 8시 30분에 학교에 간다.
나는 아침을 먹고 난 후에 학교에 간다.

20 그녀는 그 계획을 바꿨니?

실전모의고사 3회

01 ④	02 ①	03 ③	04 ②	05 ④
06 ⑤	07 ②	08 ③	09 ②	10 exciting
11 to watch		12 ①	13 ④	14 ②
15 ③	16 by	17 ③	18 ②	

19 You were invited to dinner by him.　20 between

해석 및 해설

01 ① 직접 요리를 해 드세요?
② 그 개는 물에 비친 자신을 보았다.
③ 그 나이 든 여자는 혼자 살았다.
④ 나는 빌 그와 직접 말하고 싶다.
⑤ 그는 거울에 비친 자신을 보았다.
*재귀대명사 강조용법은 생략할 수 있습니다.

02 나는 치즈를 좀 원한다. 좀 있나요?

03 나는 고양이 세 마리가 있다. 하나는 하얀색이고 나머지들은 검은색이다.

04 주차장에 차가 세 대 있다. 하나는 빨간색이고, 또 하나는 노란색이고, 나머지 하나는 검은색이다.

09 ② 나는 오렌지 주스를 먹고 싶다.

10 연 날리기는 신난다.

11 그녀는 야구 경기를 보고 싶다.

13 나는 새를 보았다.
그들은 날아가고 있었다.

14 그의 취미는 컴퓨터 게임을 하는 것이다.
① 그는 피아노 치는 것을 좋아한다.
② 샘은 무대에서 노래하고 있다.
③ 나는 한국에 사는 것이 자랑스럽다.
④ 나는 일주일에 3번 수영하는 것을 즐긴다.
⑤ 흡연은 건강에 좋지 않다.
*보기는 동명사로 진행형과 구분해 보세요.

15 *to부정사가 오지 않는 동사를 고르세요.

16 너는 다음 주 월요일까지 집에 돌아와야 한다.
한글은 세종대왕에 의해 발명되었다.

18 ① 그 자전거는 마이크가 샀다.
③ 그 창문은 우리에 의해 청소됐다.
④ 전화기는 그에 의해 발명되었다.
⑤ 그 공은 그 소년이 쳤다.
*write의 과거분사형은 written입니다.

19 그는 너를 저녁식사에 초대했다.

20 나무들 사이에 집이 있다.

memo

WORKBOOK & ANSWERS

Inkbooks
www.inkbooks.co.kr
구매문의 02) 455 9620